U0137061

百科探索 03

探索動物
未解之謎

走進神奇的動物世界，
解讀動物的行為、本領及生命歷程，
欣賞這些動物給大自然和人類帶來的別樣風景。

余耀東————編著

前　言

　　動物是人類親密的伙伴，是生物界數量龐大的一支。它們形態萬千又特點十足，它們的足跡遍布世界上的各個角落，從海洋到天空，從平原到沙漠，從草原到密林，從雪山到冰川……這些地方正因為有了它們的存在，才充滿了盎然生機。它們給神奇的大自然帶來了動人的色彩，也給人們留下了許許多多難以解開的謎團。

　　讓我們一同去關注這個色彩斑斕的動物世界。在這個世界裡，我們會發現許多不同之處，探索出我們所不知道的祕密。例如：「魔鬼鯊」為什麼寧死不屈，一旦被人們捕獲就能自行爆炸？鳥類為什麼一到春天就會放聲歌唱，這含有什麼特殊的意義嗎？孔雀為什麼要開屏，它是為了和別人比美嗎？在白茫茫的南極，企鵝為什麼不會迷路

呢？鱷魚為什麼會流眼淚，這是它仁慈的表現嗎？世界上真的有會「輕功」的蜥蜴嗎？蜻蜓點水的秘密又是什麼呢？獅子和老虎相遇後，誰更加厲害？那些傳說中的湖怪到底是什麼？

本書收集了許多動物的未解之謎，其內容廣泛，中間涉及水族類、鳥類、兩棲類、爬行類、昆蟲類、遠古傳說類以及眾多陸地上的動物，將動物之謎，較為全面地收集在一起，並科學地加以整理和歸類。

對不同動物身上所呈現出來的生存之謎、繁殖之謎、共棲之謎、行為之謎等，本書給予了生動、精彩的分析與解答，並從學術上進行剖析與探討。相信大家能在這個充滿謎團的動物世界裡，得到非同一般的體驗；從生動的文字裡收穫豐富的知識；在進一步了解動物之後，能夠真正地成為動物的朋友，愛牠們，保護牠們。

編　者

水　族　類

鳥　　類

探索動物
未解之謎

兩棲、爬行類

昆 蟲 類

陸棲哺乳類

遠古、傳說類

水　族　類

　　我們常常會在江河裡、池塘裡、小溪裡，看到各種魚兒歡快地游著。

　　那你知道魚為什麼會常常跳出水面呢？牠們為什麼喜歡接近光源呢？

　　神秘的大海裡，住著許許多多的動物——鯨魚、海豚、鯊魚、烏賊……牠們深深地吸引著我們。

　　那你知道海豚到底睡不睡覺呢？鯊魚為什麼不會得癌症呢？

射水魚的祕密

射水魚是一種鹹淡水魚，既能生活在鹹水中，也能生活在淡水中，大多分布在印度洋到太平洋一帶的熱帶沿海以及江河中。射水魚非常神奇，牠能從口中射出水柱準確地命中獵物，這是牠的一項特殊本領。射水魚自身具有很好的調節能力，這種能力對於牠捕食食物來說有著極大的幫助作用。

射水魚是一種可愛的海洋動物，牠十分機靈敏捷。射水魚愛吃動物性餌料，尤其是生活在水外的小昆蟲。在自然環境中，水面附近的昆蟲都是牠的捕食對象。射水魚那雙大大的水泡眼內，有一條條可以轉動的豎紋。當射水魚游動時，這對大眼睛既可以觀察水裡的動靜，

又能敏銳地捕捉到水面上物體的行蹤。那，射水魚高超的射水技藝是如何施展的呢？當射水魚發現昆蟲後，便立即擺動魚鰭，迅速地靠近目標，並憋足力氣，從口中噴射出一股強有力的「水柱」。牠射出的水柱可以在一公尺之內精確地擊中目標。昆蟲被擊落於附近的水面後，射水魚就會開始獨享自己的戰利品，美餐一頓了。射水魚除了可以擊落飛蛾、蒼蠅、蜜蜂等空中飛舞的小昆蟲之外，甚至還能射傷人的眼睛，足見其噴射「水柱」的威力之大。

射水魚是如何「修煉」成這一高超本領的呢？科學家研究後得出結論，射水魚在瞄準目標時，能夠自動調整水對光線產生的折射作用。當射水魚在噴射「水柱」時，牠的眼睛與水面的距離非常近，身軀會一直與水面保持垂直狀態，保證了水彈的垂直發射。這樣就能克服光線的折射，準確地擊中目標。

 **相關連結**

射水魚的品種

射水魚屬於鱸形目射水魚科射水魚屬。目前已知

的有七種：

1.射水魚：廣泛分布於亞洲及大洋洲熱帶地區。

2.小鱗射水魚：主要分布在淡水的河流和河口地區。

3.寡鱗射水魚：分布於澳大利亞淡水水域。

4.洛氏射水魚：是射水魚中比較原始的品種，分布於新幾內亞中南部和澳大利亞的小溪或沼澤中。

5.七星射水魚：分布於斯里蘭卡、印度、新幾內亞和澳大利亞北部。

6.布氏射水魚：僅僅分布於緬甸，是難得一見的珍稀品種。

7.金伯利射水魚：分布於澳大利亞西部的金伯利地區，是純淡水的品種。

橫行海洋的螯鉗將軍——蟹

　　大家戲稱螃蟹為「橫行將軍」，卻不知道牠的「橫行」是有科學道理的。螃蟹對地磁場很敏感，而牠常生活的地方的磁場，不但會改變方向，而且還經常倒轉。牠的祖先在經歷過多次的磁場倒轉後，不得不採取了一個折中的解決辦法——既不向前行進，也不向後行進，而是「橫行」。之後的漫長歲月裡，螃蟹為了適應「橫行」而漸漸地進化。

　　到了如今，螃蟹的行走方式就是牠的身體結構所決定的。螃蟹的頭部和胸部在外表上無法區分，因而叫做頭胸部。其頭胸部腹甲的兩側有五對足。第一對像鉗子，特別強大，叫做螯足，是用來攝食和格鬥的；後四對是用來步行的，叫做步足。每一條足都由七節組成，像個「七節棍」，從末端起分別是指節、前節、腕節、長節、座節、基節和底基。節與節之間由軸面不同的關節相連，形成一個杠杆系統。足的各節只能上下運動，不能前後轉動。

螃蟹頭胸部的寬度大多超過長度，而且步足又伸展在身體兩側。因而，螃蟹爬行時，只能一側步足彎曲，用指尖抓住地面，同時另一側步足向外伸展，當指端夠到遠處地面時便開始收縮，而原先彎曲的一側步足此時伸直了，把身體推向相反的一側，於是螃蟹就向側前方前進了一步。

　　然而，並不是所有的螃蟹都只能橫行。比如，生活在沙灘上的長腕和尚蟹就可以向前奔走。

螃蟹預知天氣之謎

　　說起螃蟹，大家都會想到牠的「橫行」，牠威武的鎧甲、大螯，還有牠鮮美的味道和豐富的營養。但是，很少有人知道螃蟹還有一種本領——預知天氣的變化。

　　那麼，螃蟹的哪些行為能告訴我們天氣有變化呢？

　　有一次，中國的氣象工作者在山東榮成桑溝灣進行考察研究時，發現在桑溝灣北岸的水面上漂著幾隻螃蟹。一位經驗豐富的老漁民說，一般螃蟹都是過著隱居生活的，很少游出水面，如果螃蟹出現在水面，那就說明要變天了。但是由於當時的天氣很好，陽光普照，所以科學工作者們並不相信。可是，到了下午三點多的時候，海上颳起風來。第二天，天陰沉沉的，到了下午就開始下起中雨，還伴隨著八級大風。

　　這時，氣象工作者才相信了漁民的話，但是他們很奇怪——螃蟹是透過什來預知天氣的變化呢？直到現在，科學家們還沒有解開這個謎。

海豚救死扶傷之謎

海豚是一種對人類很友善的動物。世界各地都流傳著海豚救人的動人故事，海豚也因此得到了「海上救生員」的美名。

第二次世界大戰期間，有幾架美軍飛機被日本飛機擊落。跳海逃生的倖存者乘著橡皮筏在漫無邊際的大海上漂流，多虧一群海豚將橡皮筏推到岸邊，他們才得以脫險。

一九六四年，一艘日本漁船不幸在海上沉沒了。當在風浪中奮力搏擊的四名船員精疲力竭的時候，兩條海豚從遠處游了過來。牠們主動游到四名船員身體下方，用自己的背馱著奄奄一息的船員，並把船員們安全送到岸上。

一九八一年一月底的一天，海上的一艘客輪失火了。客輪上，有三個小孩被他們的家人拋到了海裡，希望這樣能給他們留下一線生機。三個小孩一落水，一群海豚馬上從遠處游了過來，把他們馱到了救生艇邊。

青少年必讀百科探索叢書

除了救人，海豚還營救過鯨群。一九八三年九月的一天，八條巨大的抹香鯨靜靜地躺在紐西蘭北島的海灘邊等待死亡。一會兒，一群海豚游了過來。牠們在抹香鯨身邊「吱吱」地叫著，還用身體輕輕地碰擦抹香鯨。在海豚的「熱情勸說」下，這些抹香鯨竟然紛紛轉頭游向大海，與海豚一起向遠方游去。前來營救抹香鯨的人們見此情景，都目瞪口呆。

　　對於海豚「救死扶傷」的行為，有人是這樣解釋的：海豚是一種哺乳動物，牠們在水中游泳時是用肺呼吸，所以也會發生溺水現象。但在牠們頭上有像鯨一樣的呼吸孔，一旦溺水，牠們只要將頭露出水面就可以得救。所以，其他海豚發現同伴溺水後，就會上前將牠托出水面，因而救人只不過是牠們在練習營救同伴而已。但也有人不同意這種說法。因為溺水的海豚只要被托到水面便可以得救，而海豚在救人時能夠將人或小船推向岸邊。這又該如何解釋呢？

　　而且，海豚為什要營救擱淺的抹香鯨？為什抹香鯨會乖乖地聽從海豚的「勸說」？這兩個問題更讓科學家們感到費解。為了盡快破解海豚「救死扶傷」之謎，科學家們正在進行多方面的研究和試驗。我們期待著這些

謎團被破解的那一天。

 **相關連結**

人類的朋友

　　海豚是人類的朋友，牠們十分樂意與人交往親近。澳大利亞蒙凱米海灘的海豚們已經與人類建立了友誼，給人們帶來了歡樂和驚奇。也許將來有更多的海豚，在更多的地方與人類建立友好的聯繫。

海豚真的不睡覺嗎

動物的睡眠姿勢是多種多樣的，但是不論牠們是以什麼樣的姿勢睡覺，睡著時牠們的身體肌肉都是完全鬆弛的。然而，海豚的肌肉卻從來沒有呈現過鬆弛狀態。那麼，海豚是不睡覺，還是具有特殊的睡眠方式呢？

曾經有動物學家指出，由於海豚原先是棲息在陸地上的，後來到水中生活，依然用肺呼吸。為了防止睡眠時水會嗆到肺裡，牠們都是利用呼吸的短暫間隙睡覺的。

動物學家為了更清楚地了解到海豚的睡眠之謎，曾做過這樣一個實驗：把一隻海豚放在一張實驗檯上，然後給牠注射麻醉劑，劑量是每千克體重約三十毫升。半小時後，令人沮喪的結果出現了，海豚的呼吸變得越來越弱，最終死去了。

這是為什麼呢？初步的解釋是，海豚是在有意識的狀態下睡眠的，所以當我們對海豚的神經系統施加輕度影響時，就會導致海豚死亡。透過實驗了解到，海豚的

呼吸與其神經系統的狀態有著特殊的關係。

　　海豚的這種獨特的睡眠方式，引起了許多生物學家的興趣。他們將微電極插入海豚的大腦，記錄腦電波變化，還測定了頭部個別肌肉、眼睛和心臟的活動情況，以及呼吸的頻率。結果表明，海豚在睡眠時，呼吸活動依然如故。與其他動物不同的是，海豚在睡眠時依然有意識地不斷變換著游動的姿勢。

　　進一步的研究證明，睡眠中的海豚，其大腦兩個半球處於不同狀態。一個半球處於睡眠狀態時，另一個卻在覺醒中；每隔十幾分鐘，牠們的活動狀態變換一次，而且很有節奏。海豚之所以能維持正常呼吸的進行，正是依靠其大腦兩個半球交替睡眠的緣故。所以，當麻醉劑破壞了大腦兩個半球的正常平衡，使之都處於休眠狀態時，就阻塞了呼吸的進行。

　　到現在，人們還沒有看到過海豚處於完全睡眠的狀態中，科學家們對此也在進一步的研究探索中。

海豚為人類領航之謎

　　海豚是非常聰明的動物，牠既不像膽小的動物那樣見人就逃，也不像猛獸那樣遇人就張牙舞爪。海豚總是溫順可親的，牠不僅會幫助落水的人，還會為人們領航。

　　一八七一年的一天，帆船「布里尼爾號」由紐西蘭首都科靈頓附近的科克海峽駛入伯羅普魯斯海峽時，由於天氣突變，而困在「死亡之峽」整整一天。就在船員們已經絕望的時候，一條銀灰色的大海豚游到了帆船前面，與帆船保持一段距離。然後，牠從驚濤中躍起，並不時地回首翹望，彷彿是讓船員們跟著牠走。絕望的船長像在夜航中看見燈塔一樣，立刻下令緊隨海豚前進。海豚在水流湍急的航道上七拐八轉，靈活地避開了一個個暗礁和險灘，終於把「布里尼爾號」領出了恐怖之地。

　　從此，這隻銀灰色的海豚一直徘徊在海峽附近，年復一年地為過往船隻領航。只要看見有船到來，牠總是躍出水面，然後繞開暗礁、避開急流，帶領船隻擺脫危

險，順利透過海峽。船員們親切地稱牠為「傑克」。

　　一八九二年的一天，一艘名叫「企鵝號」的航船經過這個海峽時，船上的一名船員向海中開了幾槍，傑克受到了驚嚇。從此，牠便記住了「企鵝號」，只要看見「企鵝號」駛來，就遠遠躲開。最後，這艘船由於沒有傑克的領航而觸礁沉沒了。其實，不只是傑克會領航，二十世紀時，有船員親自拍下了海豚為航船領航的珍貴影像。影像中，領航的海豚不是一隻，而是一群。牠們游在航船前面，要是一隻一隻輪流從水中躍起，要是幾隻海豚同時高高躍起，使船員們能緊緊跟隨牠們前進。

　　海豚為什麼會領航呢？有人在查閱資料之後了解到，海豚在伴隨船隻一起行進的時候，喜歡用身子擦船舷、蹭船底。於是，人們認為海豚領航其實是為了用身體摩擦船舷或船底，從而使自己身體的某些部位感到舒服。

　　也有人推測，海豚喜歡在航船激起的浪花和水流裡玩，所以才會接近航船，伴隨航船前進。而這種舉動正好產生了為航船領航的作用，領航並非牠們有意為之。

　　以上兩種觀點究竟孰是孰非，抑或還有其他的解釋，現在還不得而知。看來，要徹底破解海豚為人類領航之謎，科學家們還得進一步的調查研究。

大白鯊之謎

　　大白鯊所享有的盛名和威名舉世無雙。作為大型的海洋肉食動物之一，大白鯊有著獨特的色澤、凶惡的牙齒和雙頜，這不僅讓牠成為世界上最易於辨認的鯊魚，也讓牠成為幾十年來極具裝飾性的封面「海洋動物」。

　　作為一種動物，大白鯊已廣為人知，但其實人類對大白鯊的了解，只局限在上述一些膚淺的認識上，真正能科學地認識牠的人很少。世界上到底有多少大白鯊，牠們能活多長時間之類的問題，恐怕還沒人能說得明白、透徹。科學家目前尚未成功地觀察到大白鯊交配的全過程，再加上大白鯊生性倔強，一旦被人類捕獲，離開自己廣袤的海洋王國，很快就會死去，所以人們很難在水族館這樣的地方研究大白鯊的個體大小、游速及力量。

　　那麼，究竟是什麼原因使得大白鯊稱霸於海洋呢？鯊魚專家曾經對大白鯊進行過觀察分析，結果表明，大白鯊那剃刀狀的牙齒不僅可以用來咬噬獵物，還能像刀

子那樣刮獵物身上的組織器官。此外，大白鯊的體表覆蓋著數排由皮膚上齒狀突起構成的銳利鱗片，每個鱗片都像一個鋒利的牙齒，使牠的皮膚好似粗糙的砂紙。

也有科學家動用了最先進的GPS衛星定位設備，跟蹤加州附近海域的大白鯊。綜合該衛星系統獲得的數據，科學家驚奇地發現，大白鯊並不只生活在靠近海岸的淺海，更廣闊的深海同樣屬於霸氣十足的大白鯊的天地。一個取名為迪普芬的大白鯊是科學家重點觀察的對象，四十天之內，牠從加州附近的淺海游到了三千八百公里以外的夏威夷。又過了四個月，迪普芬再次回到了牠熟悉的加州淺海。雌性大白鯊是否還會向南方游得更遠，現在還不能確定，至少科學家們推測，雌性大白鯊更傾向於獨自在遠離近海的南方產下幼鯊。

還有一些科學家參考鯨和鳥類遷徙的習性得出：大白鯊會年復一年地奔波在「南北遷徙」的路上。如果這個假設真能得到印證，那大白鯊為什麼要不辭辛勞南北遷徙？牠們在千萬里的海洋跋涉途中靠什麼來定位？太平洋裡哪些生物會成為牠們旅途中的可口點心……這些問題又源源不斷地冒了出來。所以，研究大白鯊的工作還在繼續進行著，希望有一天，能夠將所有的謎題解開。

會爆炸的「魔鬼鯊」

　　深海中，有一種長相嚇人、性情凶猛的鯊魚，叫做加布林鯊魚，又被人們稱為「魔鬼鯊」。牠是一種極為特殊的凶猛噬人魚。牠灰色的魚皮閃著金屬光澤；唇吻比凶猛殘忍的虎鯊還要長，還要尖；銳利的牙齒就像一把直立的三角刀，樣子猙獰，讓人不寒而慄。

　　「魔鬼鯊」雖凶猛、嚇人，但是卻有種不願被人們活捉而寧死不屈的傲骨。當「魔鬼鯊」被漁網網住不能逃脫時，就會自行爆炸成大大小小的碎塊。正因如此，人們至今還沒能捕捉到一條完整的「魔鬼鯊」，對牠的研究也無突破性的進展。

　　二○○四年四月的一天，幾位科學家在進行一次海洋考察時，意外地遭遇了一大一小兩條「魔鬼鯊」。當時，他們乘坐一艘潛水艇潛入水中，慢慢接近那條小「魔鬼鯊」，並準確地用一張大網捉住了牠。小「魔鬼鯊」在網中拚命地掙扎，大「魔鬼鯊」則在網外奮力營

救。最後，大「魔鬼鯊」在營救無望的情況下，忽然張開血盆大口，惡狠狠地咬向了小「魔鬼鯊」。在確定已經將小「魔鬼鯊」咬死後，大「魔鬼鯊」的身體開始膨脹，變得很肥大，那雙凶狠的小眼睛也向外突起，樣子非常恐怖。緊接著，只聽「轟」的一聲，大「魔鬼鯊」炸成了無數碎片……

在遇到危險的情況下，「魔鬼鯊」為什麼要引爆自己呢？牠又是用什麼方式「自爆」的呢？人們至今都沒弄清楚這個問題。

海中惡狼——鯊魚

　　大部分鯊魚的身體呈紡錘形，牠們的大嘴裡長有異常鋒利的牙齒。據統計，一條鯊魚在十年以內竟要換掉兩萬餘顆牙齒。牠的牙齒不僅強勁有力且鋒利無比。鯊魚向前移動時以S形擺動全身，其尾部擺動的弧度最大。因為鯊魚沒有鰾，所以需要不停游動，以免直沉海底。

　　我們習慣上認為鯊魚是海洋中最凶猛的動物，稱牠們為「海中的惡狼」。鯊魚貪婪、凶殘，牠們相互搶食時常常不分青紅皂白，有時甚至連自己的孩子也不放過。當一條鯊魚負傷的時候，就是牠該倒霉的時候了，因為牠的同族兄弟往往會群起而攻之，直至把牠吞食完為止。

　　令人感到驚奇的是，凶猛的鯊魚竟有較強的抗癌質。科學家們曾經對鯊魚進行研究，發現鯊魚幾乎不會患上癌症。那，鯊魚究竟有什麼抗癌絕招呢？美國著名生物化學博士魯爾曾表示，鯊魚不患癌症的「祕密武器」是維生素 A。他在研究中發現，鯊魚的肝臟能產生

維生素 A，使剛開始癌變的上皮細胞發生分化，從而使其恢復正常。而有的科學家則認為鯊魚的肌肉裡能產生獨特的化學物質，可以有效地抑制癌細胞的生長擴散。具體鯊魚為何能夠抗癌，科學家們還沒有統一的答案。

　　即使鯊魚很凶猛，也能夠抵抗癌症，但牠也有自己的「剋星」。大多數魚類怕鯊魚，而鯊魚怕海豚。成群的海豚可以聯合起來，有組織地圍攻鯊魚，輪番用有力的鼻子撞擊鯊魚骨骼軟柔的體側，使牠的內臟受損。

　　凶狠的鯊魚還懼怕一種叫虎鯨的海洋哺乳動物。虎鯨的牙齒非常鋒利，而且總是幾十隻一群結伴而行。鯊魚一旦遇上虎鯨，只能迅速逃跑，或者將腹部朝上裝死，否則就會被虎鯨撕成碎塊吞食掉。

鯊魚救人之謎

人們一提起鯊魚，就會聯想到牠們的殘暴凶猛、嗜血好鬥，讓人感覺十分危險。而大家聽到的有關鯊魚的消息，也大多都是牠們傷了多少人，幾乎沒有人想到過或聽到過牠們救人的情景。

一九八六年的一天，美國人羅莎琳到南太平洋斐濟群島旅遊觀光。就在她乘渡輪返航的途中，輪船漏水了，於是，她同十八名逃生者同時上了一個小小的救生艇。當在救生艇上可以看到陸地時，羅莎琳和七、八個人跳入海中，想要減輕小艇的員擔。

由於海裡浪頭太大了，幾人在海上漂泊了好幾個小時還沒有到岸。當暮色漸漸地籠罩著海面時，忽然，從遠處游來了一條兩公尺左右的大鯊魚！但奇怪的是牠沒有咬羅莎琳，而是圍著羅莎琳團團轉，還用尾巴梢掃她的背。一會兒，又有一條鯊魚從她的身下鑽了出來，隨即在她的周圍上躥下跳，最後竟潛下水去將她托住。這

時，羅莎琳才發現她竟騎在了這條鯊魚的背上。

這兩條鯊魚就這樣護著她向前游去。同時，趕走其他想要靠近的鯊魚，直到一架救援直昇機找到羅莎琳。

後來，羅莎琳得知，這個海域經常有鯊魚出沒，其他跳入海中的人都已失蹤，顯然都已葬身魚腹了！

這件事情轟動了整個生物學界。海豚救人、海龜救人時有所聞。可是，鯊魚自古以來就被認為是人類在水中最凶惡的敵人，卻主動去救人，並保護著人類免受同類的傷害，還真是一件不可思議的事！那這兩條鯊魚為什麼會救人呢？難道牠們對人類有著某種特殊的感情？或者牠們把羅莎琳當成了自己的同類？總之這一離奇事件給海洋生物學界留下了一個撲朔迷離的難解之謎。

 相關連結

鯊魚的種類

世界上約有三百八十種鯊魚。牠們中約有三十種會主動攻擊人，有七種可能會致人死亡，還有二十七種因為習性的關係，具有危險性。

鯊魚的剋星之謎

鯊魚常被認為是海洋中最凶猛的動物。多數人相信，鯊魚是凶殘之徒，就連鯨這類龐然大物遇到牠們也難以逃生。而臭名昭著的噬人鯊，不僅捕食頭足類動物、較大的魚類、海豚和海豹，而且還襲擊漁船和人。然而，這個海洋裡的「凶神惡煞」，卻不得不屈服於比目魚。

曾經有生物學家對紅海進行了一系列考察，詳細研究了這種令鯊魚望而生畏的紅海魚。這種魚學名叫豹鰨，身上長滿了像豹子一樣的斑點，是比目魚家族中的一種，以色列人稱之為「摩西鰨」。

人們發現，當鯊魚張大長滿利齒的大嘴，一口咬住豹鰨之後，會痙攣般地閃到一邊，雙眼緊閉，下巴張得很大，像凍僵了似的，再也合不攏了。緊接著，這條鯊魚會瘋狂地搖擺著頭，在水中痛苦地跳躍，不顧一切地四處狂奔，直到合上嘴巴，才安靜下來。

這種身體扁平的魚，生活在紅海東北部的亞喀巴灣，平時總是躺在海底，用身上那砂巖一樣的顏色和黑點把自己隱藏起來，而誰會料到牠竟然是鯊魚的「剋星」呢？

經過解剖發現，豹鰡共有二百四十個毒腺，分布在牠的背鰭和臀鰭基部。每個腺體都有一個小開口，當豹鰡受到威脅時，牠就會在敵人咬牠之前，迅速從開口處分泌出致命的毒液來。這種乳狀毒液四處散發，形成十多公分厚的防護圈，環繞於身體周圍，毒液的效果可以維持二十八小時以上。科學家還發現，這種毒液即使稀釋五千倍，也足以使軟體動物、海膽、海星和小魚在幾分鐘內死亡。

所以，儘管鯊魚凶猛無比，但是遇到這種紅海豹鰡也只能望而卻步了。

相關連結

檸檬鯊

檸檬鯊是鯊魚的一種，因似檸檬的顏色而得名，屬中型鯊魚，性情凶殘。但是，在鄭州不少人開始將鯊魚當做新寵，養鯊魚也成為彰顯個人性格的時尚行為。

劍魚為何襲擊船艦

劍魚屬於劍魚科，由於牠的上頷延長，呈劍狀突出，因而得名。牠的「劍」異常鋒利，猶如長尾鯊的尾巴一樣。劍魚一旦不顧一切地向鯨魚、軍艦或漁船衝去，其游動的速度可達一百公里每小時。這時所產生的衝擊力，相當於最重的鐵錘敲擊物體時，所產生的打擊力的十五倍。

一八八六年，一條劍魚猛烈地衝撞美國的一艘快速帆船，居然把用銅板包著的船殼撞破了。

一九四四年，南非某處海面上出現了一條大劍魚，牠凶猛地用自身的「利劍」戳穿了一條漁船。轉眼間，連船帶人都被捲入了水中。

一九四八年年底的一天，美國四桅帆船「伊麗莎白號」在駛近波士頓港灣時，遭到劍魚的襲擊。船員們親眼看著那龐然大物，是怎樣以每秒鐘幾百公尺的速度猛衝過來，牠的長劍深深戳進船艙，甚至連頭都快插進去

了，好在牠沒有進行連續攻擊，否則船真的要慘遭滅頂之災了。儘管如此，「伊麗莎白號」進港後，還是花了三千多美元的修理費。

劍魚為什麼要襲擊船艦呢？有人認為是那些落網的劍魚在僥倖逃脫後，對船艦進行的報復。但是，這樣的答案卻不能解釋劍魚曾襲擊潛水艇的行為。

也有人認為，劍魚可能是由於迷失方向或動作失調，才會撞擊船艦。但是，劍魚的三維空間辨向能力以及動作協調能力都是很強的。

目前，人們對劍魚襲擊船艦的行為有著不同的說法，但是這些說法都缺乏說服力。

劍魚不但襲擊船艦，還常常和鯊魚群一起圍攻巨鯨。有時在海上可以看到這樣的情景：一群鯊魚把一頭巨鯨圍困在中間，牠們用銳利的牙齒在鯨魚身上撕咬，不一會兒鯨魚就昏迷過去，這時，劍魚會趕來用自己的長劍攻擊鯨魚。奇怪的是，牠卻一口不吃，好像是專門為鯊魚效勞的。劍魚這樣的舉動至今令人捉摸不透。

劍魚襲擊船舶和幫鯊魚圍攻鯨魚的行為都讓人難以理解，但是，相信總有一天，這些謎團會真相大白的。

助人為樂的逆戟鯨

逆戟鯨即
虎鯨，是一種
大型齒鯨，身
長為八公尺至
十公尺，體重
九噸左右。牠

探索動物未解之謎

的背呈黑色，腹為灰白色；嘴巴細長，牙齒鋒利；性情
凶猛，是企鵝、海豹等動物的天敵。有時逆戟還襲擊其
他鯨類，甚至是大白鯊，稱得上是海上霸王。

這些性情凶猛，連長鬚鯨、座頭鯨、藍鯨等大型鯨
類見了也要慌忙避開的逆戟鯨，對人類卻非常友好。若
在水族館裡加以飼養馴化，牠們還能學會許多技藝，表
演各種節目。

二十世紀二〇年代，在澳洲新南威爾斯州附近的海
域中，有一群逆戟鯨經常幫助漁民們捕鯨。牠們通常都

是先選定目標，然後想方設法將其趕到淺水區域。接著，其中的兩條逆戟鯨會將獵物的尾巴死死咬住，其餘的逆戟鯨則迅速圍攏過來，齊心協力地襲擊獵物的鼻孔，使其透不過氣來，這樣，驚惶失措的獵物便被迫躍出水面。將船停在岸邊的漁民們一見到鯨躍出水面，便可以乘機投叉猛刺。當被刺死的鯨開始向下沉的時候，這些逆戟鯨會乘機吃掉其舌唇，然後將沒了舌唇的死鯨送上水面。這時，漁民們就可以輕而易舉地將死鯨從海裡拖到岸上了。

即使海面上沒有漁船，只要這些逆戟鯨遇到了獵物，就會先將獵物包圍，然後，其中的幾條逆戟鯨便迅速游到岸邊，用尾巴拍擊岸邊的海水，發出巨大的響聲，以此來向漁民們通風報信。等漁民們駕駛漁船下海後，通風報信的逆戟鯨便在前面帶路，將漁船帶到被圍困的獵物旁邊。

為什麼凶猛的逆戟鯨對人類卻如此友好呢？逆戟鯨為什麼要常年幫助漁民們捕鯨呢？科學家們也無法解釋清楚。

鯨類為何集體自殺

不論是人還是動物，都有求生的本能，可是有許多報導，卻讓我們感到了意外。從報導中我們了解到，世界的很多地方都不斷出現動物自殺的現象。

一九八五年十二月二十二日，在中國福建省福鼎縣海灘上發現了許多珍貴的抹香鯨的屍體。事件發生當天，正值退潮的時候，一群抹香鯨驚慌失措、左衝右突地在海中游動，其中有一頭不幸衝上淺灘，掙扎哀鳴，其餘的本已順著潮水回到海裡的同伴聽到牠的呼叫後，全部奮不顧身地游了回來。當潮水再度上漲時，人們用機帆船將抹香鯨拖下海，但被拖下海的鯨群竟又重新衝上海灘來，場面十分悲壯。最後，這群抹香鯨全部死亡，陳屍海灘。

和中國沿海鯨類自殺相似的事件，在很多地方都發生過。然而鯨類為什麼會集體自殺呢？科學家們眾說不一。

有人認為，鯨類衝上海灘的主要原因是聽覺失靈。

因為鯨的視力較差，行動基本上依靠聽覺。牠們靠鼻部和咽喉部的氣囊發出一種特殊的高頻聲波，利用回聲定位來辨別方向和捕捉食物。但當牠們游到平坦多沙或泥質的淺海水域時，反射回來的低頻聲波，讓牠們無法對環境進行正確的判斷，從而迷失了方向。

　　也有人認為，鯨前仆後繼地衝上海灘，是為了救助同伴。鯨類有一個突出的特性，就是喜歡成群結隊地活動，一旦牠們當中某個成員不慎擱淺，必然會痛苦掙扎，發出哀鳴，其他的鯨聽到了遇難同伴的呼叫，全都會奮不顧身地前來救助，以致接二連三地擱淺。

　　更有人認為，鯨類大規模擱淺是因為，鯨群中帶頭的首領對方向的判斷有誤，導致眾鯨盲目跟隨。

　　還有人認為，鯨類成群地游向淺灘擱淺，與地球的磁場有關。

　　現在，人們還在探究鯨類集體擱淺的原因，相信總有一天會真相大白的。

長著怪異獨角的獨角鯨

獨角鯨生活在北極海及附近的海域。事實上，獨角鯨所謂的獨角，其實是雄性獨角鯨左上頜的一枚長牙，牠長達三公尺，呈筆直的螺旋形。而雌性獨角鯨很少有這種「獨角」。

許多世紀以來，科學家們一直對產於北極地區的鯨──獨角鯨迷戀不已，同時又困惑不解：這種體型並不大的鯨，竟然長著如此之長的螺旋狀牙齒。過去，人們把獨角鯨看成是傳說中的獨角獸的化身，一些國家的王室甚至把鯨牙當成驅魔與解毒的工具。那，獨角鯨的這根長牙究竟有什麼用處呢？這引起了眾多科學家的興趣，紛紛對這隻「獨角」的神奇作用進行了猜測。

有的科學家認為，這枚長牙是雄性獨角鯨用來戰鬥的武器；有的科學家則認為，它是雄性獨角鯨鑿穿冰層，進行呼吸的工具；還有科學家認為，這枚長牙是獨

角鯨的取食工具；也有科學家猜想，它是獨角鯨的散熱器官，因為獨角鯨在快速游動時身體會發熱，所以牠會透過這隻獨角來散熱；還有人說它是獨角鯨的回聲定位工具，用於尋找食物。還有其他說法，如：獨角鯨利用這隻獨角來改善其全身的流體力學性能，從而使自己游得更快；獨角鯨利用這隻奇特的角來引誘一些好奇的小魚，從而把這些小魚變成牠的美餐⋯⋯等等。

以上種種說法，究竟哪種正確，還有待於科學家們進一步探索。

 相關連結

中國的鯨類

迄今為止，在中國海域發現的鯨魚已經達到九科、二十六屬、三十八種。其中既有體長超過三十公尺的藍鯨，又有體長僅一公尺左右的江豚，還擁有特產的淡水鯨類——白鰭豚。中國的鯨類動物除白鰭豚和中華白海豚被列為國家一級保護動物外，其餘的種類均被列為二級保護動物。

魚類趨光現象探祕

　　魚類是最古老的脊椎動物，牠的感覺器官有嗅覺、視覺、聽覺、味覺，以及水生脊椎動物特有的側線器官。相對於陸生脊椎動物來說，魚類的視力很弱，晶狀體沒有彈性。牠的視覺形成是依靠改變晶狀體的前後位置。

　　就在人類捕食魚類的過程中發現，魚類具有趨光習性。發現這一現象後，有人曾做過實驗，來研究魚類的趨光現象。人們在海水表層拉上電燈，並透過觀察發現，每一種魚對燈光的反應程度並不相同，其中，小鯡魚一旦發現光源，就會從遠處游來，在光源處匯集。牠們匯集後的排列和行為很有規律──一層連一層，圍著光源進行順時針游動。這時，從船上看水中，你會發現，鯡魚群組成的形狀就像一個巨大的漩渦。如果燈光突然熄滅了，小鯡魚們就會亂作一團，到處亂竄；燈光重新亮起時，牠們又會重新聚攏過來，很快恢復為先前的秩序游動著。然而有些魚的趨光行為就沒有什麼規則

了，牠們要在燈光下靜靜地游動，要成群結隊地從海洋深處浮上來，升到水面上然後又突然散開。

在光線弱的區域，還有一些凶猛的肉食性魚類利用魚類的趨光習性進行捕食。

魚類為何有趨光行為呢？目前，人們還沒有找出具體原因，只知道魚類趨光主要受到這樣一些因素的影響：首先是光本身亮度的變化，其次是光的顏色變化，再次則取決於魚兒自身的發育程度及生理狀態。至於其中更深層次的原因，人們的說法不盡相同，其中很多都是假說，因此還需要進行深入細緻的探討。

 相關連結

中國近海區的魚類

中國近海區的海洋魚類區系可劃分為五個分區：渤海、北黃海分區，以暖溫性魚類為主；南黃海、東海近海分區，以暖水性魚類為主；東海外海分區，處於黑潮主幹流經海區，主要為暖水性魚類；南海大陸沿岸分區，以暖水性魚類為主；南海外海分區，多為熱帶性珊瑚礁魚類，總數近千種。

海龜自埋之謎

海龜是在地球上存在了一億多年的史前爬行動物，牠們主要生活在比較淺的沿

海水域、海灣、珊瑚礁和流入大海的河口。海龜有鱗質的外殼，用肺呼吸，所以牠們雖然可以在水下待上幾個小時，但還是要浮上海面調節體溫和進行呼吸。

令人奇怪的是，人們在美國的海岸的淤泥中，曾挖出了一隻仍然存活著的海龜。海龜為什麼被活埋起來呢？為何牠們埋在淤泥裡卻不會被憋死？

為了探索海龜「自埋」之謎，海洋生物學家到實地進行了考察和研究。一些生物學家發現，在一些個體較大的雄海龜身上常常寄生著大量藤壺，這既影響牠們游

泳，又會使牠們感到難受，所以生物學家們認為，海龜是為了擺脫藤壺，才鑽進淤泥之中的。但是，海龜是以頭朝下、尾巴朝上的姿勢埋在淤泥之中的。這樣，牠們頭部和前半身藤壺雖然會因為在淤泥深處缺氧而死，可後半身和尾部的藤壺卻因埋得較淺，所以仍然能存活。那麼，這個猜測就不能準確地解釋海龜「自埋」的現象。

在此之後，人們又發現了許多存在著「自埋」習性的海龜。發現這一現象的是一位女潛水員，她在潛入海底時，發現一隻海龜頭朝下埋在淤泥中，只露出了尾部。當用手觸碰到海龜時，那隻海龜被驚動了，牠從沉睡中慢慢醒來，隨後，牠將頭從淤泥中抬起，然後抖掉淤泥，離開了那個地方。然而那裡並不只一隻海龜，還有一隻雌海龜同樣埋在淤泥裡。但這隻海龜是醒著的，對於潛水員的到來，牠迅速做出了反應，並立刻逃開。

這位女潛水員發現這兩隻海龜的地方是二十七點四公尺深的海底，當時的水溫是二十一點七℃。可見，海龜「自埋」並不是為了取暖。而且最新的觀察表明，海龜在這一地區逗留「自埋」的時間不長，所以不能認為牠們是在冬眠，因此，要解釋海龜到底是為什麼「自埋」，還需要做進一步的研究。

鳥　　　類

　　藍藍的天空中，鳥兒們自由地飛翔著。牠們是自由的使者。

　　你可知道牠們為什麼能够定向飛行，而不會迷路呢？

　　一些荒涼的小島上，鳥兒們有著自己的生活，無憂無慮。

　　你可知道為了保護自己的家園，牠們可以不顧一切？

鳥類識途之謎

　　大約在一‧五億年前，鳥類就已經出現了。牠們的種類繁多，大部分都具有飛行能力。而讓人們感到百思不得其解的是，鳥類為何能夠定向飛行，而不會迷路。

　　有一種北極燕鷗，牠們夏季在北極圈附近出生，而六個星期之後，就會向大約一‧八萬公里外的南極浮冰區飛去，在那裡過冬，過冬之後，又會飛回到出生地度夏。這樣漫長的路程，北極燕鷗是根據什麼來辨別方向的呢？

　　關於這些問題，曾有人指出，一部分鳥類是依據地球磁場來定向導航的，其代表有信鴿；也有人認為鳥類是靠太陽和星辰來辨別方向的；而現在大家比較認同的結論是，鳥類的遷徙習性和辨識旅途的能力是遺傳的。

　　那鳥類為什麼會有遷徙的習性呢？這要追溯到史前時期。那個時期覓食比較困難，為了生存下來，鳥類不得不進行週期性的長途旅行，去尋找食物。這樣年復一年，世世代代，經過漫長的演化，各種遷徙習性就被記

錄在遺傳密碼上，然後經過核糖核酸分子一代代傳下來。這也就解釋了，為什麼那些很早就被父母遺棄了的幼鳥，即使沒有成鳥帶領和沒有任何遷徙經驗的情況下，仍然能成功地飛行千里，抵達牠們從未到過的冬季攝食地。

為了進一步證實這一點，曾經有個科學家做過這樣一個實驗：將德國東部鸛鳥的蛋，移到西部鸛鳥的窩裡，待孵出小鳥後，加上標記，以便識別。這兩種鳥分別生活在德國西部和東部。到了一定的季節，牠們會成群結隊地遷飛到埃及去。然而東部與西部的鸛鳥有著不同的遷移路線。西部的鸛鳥是經過法國和西班牙的上空，然後飛越直布羅陀海峽，再沿著北非海岸飛抵埃及；而東部的鸛鳥卻是繞過地中海的末端直抵埃及。

這個實驗的結果讓科學家感到驚奇。東部小鳥長大後遷飛時，並沒有跟隨飼養牠們的養母（西部鸛鳥）一起飛行，而是按照自己祖先固有的遷移路線飛行。以此可以看出，鸛鳥遷飛選擇哪一條路線，並不是簡單地跟隨長輩的結果，而是遺傳因素支配下的本能。

那麼，這種遺傳能力究竟是怎樣形成的呢？既然知識的獲得性不能遺傳，那定向識途的知識又為什麼可能編入遺傳密碼呢？這對遺傳學家來說又是一大難題了。

鳥類異常遷飛之謎

　　大多數鳥類每年到了一定的季節，就會由一個地方飛往另一個地方，過一段時間又飛回來。這種鳥類的遷徙行為是很正常的，並且具有一定的規律性，然而歐洲有一種鳥類卻出現了異常的行動──向東逐漸拓展領地。

　　歐洲有一種鳥叫做歐金翅，牠們的種群數量繁多，如同我們中國的麻雀。如今，這種鳥類以每年約八十公里的速度，在中國境內由西向東拓展著自己的生活圈。

　　根據觀測發現，原本歐金翅只是在春秋遷徙時，途經中國的新疆地區，並不在這裡繁殖或越冬。但是近幾年來，歐金翅卻留在了新疆居住，而且種群數量也呈現快速增長趨勢。目前，像這樣由西向東擴展領域的鳥類還在增加。

　　人們所知道的鳥類遷徙中，北方鳥類在冬天會往南方遷徙，尋求溫暖的地區越冬，氣候轉暖後，返回北方繁殖孵化；而南方溫暖地區的鳥類，是不會出現在北方

地區的。所以，像歐金翅這樣的歐洲鳥類，向同屬北方的新疆遷徙，是不符合原有的鳥類遷徙規律的，然而南方鳥類擴展到新疆地區的現象，則更加令人疑惑。

關於這種不正常的遷飛現象，有人認為是全球變暖的反映。以往候鳥有著固定的遷徙路線，即便是有幾隻鳥兒在旅途中迷失或逗留，也很難生存下去，因為當地的天氣情況並不適合牠們生存。但由於新疆地區的氣溫上升，使這些鳥類在旅途中找到了新的生活地區，於是在此定居並繁衍開來。特別是歐金翅這種繁殖能力強、食性雜的鳥類。

由於氣候變暖而導致生活圈發生改變的鳥類，還有中國的白頭鵯。白頭鵯是一種喜歡溫暖居住環境的鳥類，原來分布在長江以南地區。但近幾年，這種鳥類開始向北擴展，蘭州、西寧乃至遼寧都有這種鳥。

還有人指出，鳥類棲息地之所以會東擴，還在於牠們的遷徙習慣和途徑不受國界的約束，哪裡適應其生存就會往哪裡遷徙。此外，人為放生也是一個重要原因，比如家八哥。八哥原本屬於熱帶鳥類，但由人類販賣進入哈薩克境內後，有部分逐漸回歸自然界，形成了野生種群。近年來，哈薩克分布的八哥越過了中哈國境線，

逐步向新疆擴散。

　　雖然這些原因解釋了這些鳥類為何能夠東進中國，但是又有新的問題出現，為何牠們是往中國東擴並迅速發展，而不是向西或者向北擴展呢？這還需要更多的觀察和研究，找到歐金翅等鳥類東進的深層原因。

西沙東島迷霧重重

西沙群島是中國南海四大群島之一，位於海南島東南方，由永樂群島和宣德群島組成。在古代，這裡被稱

為「千里長沙」，是南海航線的必經之路。

西沙群島東島，是南海諸島中第二大島。島上樹叢茂密，蔥翠欲滴，東南側還有一個小小的淡水湖。這樣的環境引來了眾多鳥類棲息，也讓東島成為西沙群島中鳥類最多的島，不少地方鳥糞層厚達數公尺。

東島上的鳥類主要有鰹鳥、燕鷗等。每天清晨，海鳥唧唧喳喳地在巢邊跳來跳去，等到日落時分，海鳥又三五成群地從四面八方飛回海島。此島的鳥類眾多，也因此而聞名於世，並被人們稱為「鳥島」。

　　然而，在西沙群島中，東島是唯一一個海鳥眾多的島嶼，西沙群島中的其他島嶼雖然也有海鳥，但數量遠不如東島。其實，西沙群島諸島的自然環境十分相似，為何唯獨東島能吸引如此眾多的海鳥呢？

　　其實，在西沙諸島的地面上幾乎都有一層厚厚的鳥糞，根據這些鳥糞可以看出，這些島嶼過去都曾有百鳥雲集。根據科學家研究得出，這些鳥糞層的年齡多在四千年至五千年。那麼，這就說明了在四千年至五千年以前，這裡的其他島嶼和東島一樣，曾有眾多的鳥類棲息。而初步估計，當時西沙諸島海鳥總數超過一百萬隻。可是，為什麼如今大多數的島嶼海鳥已基本不再光顧，而唯獨東島卻和以往一樣是海鳥的天下呢？關於這個問題，科學家們進行了許多調查研究，卻始終沒有得出答案。

　　在研究這些島嶼時，科學家們發現東島上也有著眾多的謎團。東島上海鳥的數量約五萬隻，其種類卻只有五十多種，其中白鰹鳥最多，估計超過三萬隻。而其他島嶼上的海鳥雖少，種類卻較多，這是為什麼呢？這個也暫時無人能解。

　　島上為數眾多的鰹鳥，也有許多讓人不解的地方。

鰹鳥每次產一枚至二枚卵，奇特的是牠們孵化的方式。一般鳥類孵化小鳥是用身體抱窩，借體溫給卵加溫，而鰹鳥卻是用腳爪給卵加溫，這個時候的白鰹鳥鳥爪血流量特別大，爪蹼膜腫脹，又厚又暖，保溫效果極好。為什麼牠們的鳥爪會有這種特別的變化呢？為什麼鰹鳥會採取這種與眾不同的孵化方式呢？目前尚難以解釋。

鳥兒為何一到春天就唱歌

人們描述春天的時候，總會用到「鳥語花香」。確實，每當春天來臨的時候，鮮花朵朵綻放，香味四溢，鳥兒們也活躍在樹枝之間，放聲歌唱。為什麼鳥兒會在春天的時候唱歌呢？

為了解開這個謎，科學家們做了許多試驗，最後發現，鳥類會在春天唱歌是由鳥類特殊的大腦細胞與陽光共同作用的，也是鳥類一種獨特的荷爾蒙生理反應。

經過長時間的觀察研究了解到，鳥兒大腦內的細胞受日照時間延長的刺激影響，其體內便開始分泌荷爾蒙，而春天比冬天的日照時間要長，所以春天一來臨，鳥兒受到荷爾蒙的影響就開始唱歌。

為什麼荷爾蒙能影響鳥兒的歌唱呢？荷爾蒙是動物體內分泌的能調節生理平衡的激素，它對動物體內新陳代謝環境的恆定、器官之間的協調，以及生長發育、生殖等有調節作用。在荷爾蒙的刺激作用下，鳥兒睪丸分

泌激素的能力開始增強，達到一定程度後，鳥兒開始有了尋找配偶的需求。於是，牠們便開始唱歌，以此來吸引異性。所以，一般春天也是鳥兒繁殖期的開始。

為了進一步地研究，找到鳥類大腦內具體的那塊區域，研究人員曾經從三萬八千隻日本鵪鶉身上提取了大腦樣本，然後將其分別放在光線下，接受時間長短不一的光線照射。

研究過程中，當更多的光線照射到鵪鶉大腦表面的細胞時，細胞內的基因就會被激活，然後腦垂體便釋放出一種促甲狀腺激素。這些促甲狀腺素進入血液後，會對鳥兒產生刺激，而使其體內產生荷爾蒙。所以，當春天來臨，光線照射變長時，鳥兒會接受到比較充足的光線照射。這時，牠們大腦內的基因會在接下來的十四個小時內保持激活狀態。這也可以解釋為什麼鳥兒在天一亮就開始唱歌，而且唱歌的時間比較長。

 **相關連結**

鳥類之最

飛行速度最快的鳥：尖尾雨燕，最快可達三百

五十二點五公里/小時。

飛行速度最慢的鳥：小丘鷸，八公里/小時。

振翅頻率最高的鳥：角蜂鳥，九十次/秒。

振翅頻率最低的鳥：大禿鷲，可滑翔數小時不拍翅。

游水速度最快的鳥：巴布亞企鵝，二十七點四公里/小時。

跑得最快的鳥：鴕鳥，七十二公里/小時。

信天翁拚死護家的奧祕

信天翁是十四種大型海鳥的統稱。牠們在岸上表現得十分馴順，因此，許多信天翁又俗稱「呆鷗」或「笨鳥」。

但是，在保護自己家園時，信天翁的表現卻出乎了人們的預料。曾經，美國海軍準備在太平洋上的一個荒涼小島上建立情報基地。可是，當美國的士兵靠近這個荒島不小心驚動了島上的信天翁時，數以萬計的信天翁排著整齊的陣勢，騰空而起，直撲向士兵們，牠們用尖嘴啄、用利爪抓、用翅膀打，來阻止這些入侵者登陸。

在信天翁的強力抵抗下，士兵們只好拿出武器。雖然，這群信天翁被手持武器的士兵們擊斃，但是士兵們還沒來得及將武器放下，另一群信天翁又發起了新的攻勢。經過一番搏鬥，信天翁才再次被擊退。

讓人感到不可思議的是，第二天，當美軍士兵再次準備登陸小島的時候，眾多信天翁又一次朝他們飛來，向他們發起了進攻。這次，牠們除了用尖嘴啄、用利爪

抓、用翅膀打以外，還用又黏又臭的鳥糞作為武器。為了徹底解決問題，美軍又派出轟炸機對島上的信天翁進行轟炸。轟炸過後，島上滿是信天翁的屍體。可是，美軍士兵的登陸行動仍然沒能順利進行。原來，一些住在附近島上的信天翁又蜂擁而至，對美軍發起了第四次進攻。這次，美軍只好施放毒氣。在大部分信天翁被毒死之後，美軍用推土機將堆積如山的信天翁屍體推下大海，才佔領了這個小島。他們連夜在島上搶修了一條簡易的公路和飛機跑道。沒想到，倖存的信天翁並沒有就此罷休，牠們再次飛到小島上來找美軍的麻煩，甚至用身體撞擊飛機的螺旋槳或發動機，使飛機墜毀。在美軍撤離該島之前的日子裡，這場罕見的人鳥大戰從未停止過。

信天翁視死如歸保衛家園的舉動，引起了科學家們極大的興趣。但是，即使已經進行了很長時間的觀察和研究，科學家們還是不明白信天翁拚死護衛家園的原因，也不知道為什麼這麼多的信天翁能在戰鬥中，如此齊心協力地對抗入侵者。因此，科學家們仍然在進行研究。

啄木鳥使用工具之謎

大家知道，使用工具並不是人類的專利，像黑猩猩和猴子一類比較聰明的動物，也能使用一些現成的東西作為工具，來進行取食之類簡單的事。但是大家可能不知道，在鳥類王國裡，也有一些會使用工具的鳥。

太平洋中的加拉帕戈斯群島上生活著一種啄木鳥，牠們以小昆蟲為食。當啄木鳥需要食物時，會在樹林裡四處飛行，尋找適合的樹幹——用那尖尖的、細長的喙去啄樹幹，當牠們發現樹幹裡面有蟲子的時候，就會用那尖而細長的喙把樹皮啄穿，把小蟲子從樹幹裡啄出來。

有時，牠們會遇到較深的樹洞而無法用喙將蟲子捉出來。啄木鳥就會折下一段細樹枝，叼住一端，將另一端伸進樹洞裡攪動，直到把蟲子撥弄出來為止。如果牠覺得這段樹枝好用，就會將其存放在樹洞裡，以備後用。

但是，對於啄木鳥懂得使用工具的原因，以及牠們智商的高低，科學家們還將繼續進行研究。

企鵝不迷路的祕密

　　企鵝是目前已知的地球上最不怕冷的鳥類。牠們經過激烈的生存競爭，逐漸適應了南極惡劣的環境，成為最能適應嚴寒水域生活的鳥類之一。企鵝的羽毛密度比同一體型的鳥類要大三倍至四倍，牠羽毛的作用是調節體溫。

　　和鴕鳥一樣，企鵝是一種不會飛的鳥類，但企鵝卻是鳥類中的游泳專家。牠們游泳的速度特別快，平均達到十五公里/小時左右。在遭遇大型猛獸的追殺時，牠們有時還能躍起二公尺多高。

　　南極的十一月，白雪皚皚，企鵝們會帶著小企鵝遠離故鄉，去千里之外的海洋覓食。到了春天，企鵝們又會經過幾百公里的長途跋涉，回到牠們的故鄉進行繁殖。

那企鵝為什麼總是定居在同一個地方呢？在廣闊無邊、沒有任何標誌的莽莽冰雪原野上，企鵝是如何辨認方向，順利返回到牠們定居地的呢？

這引起了科學家們的興趣，並做了這樣一個實驗：科學家們在南極捕捉了五隻企鵝，並在牠們身上做了記號，然後用飛機載著牠們，來到一個離牠們的居住地有一千九百公里的海峽，那個海峽沒有任何標誌物。科學家們將五隻企鵝從五個不同的地點放走，結果，這五隻企鵝全部朝著同一個方向前行。十個月後，牠們竟然全部順利返回了自己的故鄉。

還有一個科學家做了這樣一個實驗：他將捉走的企鵝在滿天星辰的夜晚放走。結果，這隻企鵝迷失了方向，直到早晨六點，那隻企鵝才準確地判斷出了回家的方向——北方，並開始朝那邊前行。

透過這些試驗，我們可以看出，企鵝是以太陽的位置來判斷方向的，與外界的標誌物無關。但由於太陽的位置是在不斷變化的，企鵝體內必須具備能夠調整、辨識太陽位置的生物時鐘系統，這樣才能根據某一特定時刻的太陽位置判斷方向。

那麼，企鵝體內果真有這種生物時鐘系統嗎？如果

有，這一體內生物鐘系統到底是由什麼控制的呢？人們對此還一無所知。

 **相關連結**

「帶翅膀」的爵士

愛丁堡的動物園裡，有一隻叫尼爾斯的企鵝，被挪威皇家衛隊授予了爵士封號，成為挪威歷史上第一個「帶翅膀」的爵士。牠還大搖大擺地檢閱了挪威皇家衛隊。

火鳥之謎

　　據記載，在西元前一〇六年的羅馬，曾出現過一群
「火紅的巨鴉」，牠們的嘴裡叼著燒得紅彤彤的火炭，
不論牠們嘴裡的火炭掉到哪裡，都會立刻火災四起。

　　這段看起來有點兒玄妙的記載，讓很多人對其真實
性產生了懷疑。然而，二十世紀八〇年代中期，波多黎
各首都聖胡安及其鄰近的一些小城，曾連續燃起原因不
明的熊熊大火，導致眾多人員傷亡。事後，一些倖存者
都說，那些大火好像是從天而降，而在火災發生之前，
城市上空曾出現過一些光耀奪目的火鳥。

　　人們紛紛猜測火鳥的真實身分。有人認為，牠可能
是我們人類還不太熟悉的某種古代生物。也有一些保守
者認為根本沒有什麼火鳥，那只不過是人們的幻覺而
已。看來，這個謎還有待於科學家們繼續調查研究才能
破解。

「縫紉」技巧高超的縫葉鶯

我們知道，裁縫是一項細巧的工作，不是所有的人都能勝任的。可是你想不到，有一種身長只有十幾公分的小鳥，竟然也會做裁縫工作，能夠穿針引線來縫製自己的窩。這種鳥叫做「縫葉鶯」，牠以縫紉築巢的絕活令世人稱奇。那牠是如何縫葉築巢的呢？

縫葉鶯於每年四月至八月開始交配。這時，縫葉鶯媽媽便開始了繁忙的工作——縫葉築巢，為自己的孩子建造一個溫馨舒適的家園。縫葉鶯一般把巢築在芭蕉一類的大型樹葉上，多為安全隱蔽之處，並用垂下的樹葉作為基本材料。

縫葉鶯築巢時，會先用嘴叼住樹葉的一端，腳同時配合，用力拉樹葉，使之變成長長的像袋子一樣的形狀，然後便開始縫紉工作。牠用又長又尖的嘴做針，在葉子邊上穿出一個小孔；用找好的蠶絲、植物纖維等做線，穿過一個個小孔，然後拉緊，這樣樹葉就被巧妙地縫合

起來了。令人驚嘆的是，縫葉鶯還會像人類一樣一邊縫一邊打結，以防脫線。為了防止巢的根基脫落，牠們還會用草莖等將根部加固，可謂是做得天衣無縫。最後，牠還會在自己的窩裡鋪一些柔軟的東西作為舒適的「睡床」。至此，縫葉鶯的巢就徹底竣工了。縫葉鶯就是在這樣一個安全、溫暖、舒適的環境中養育自己的兒女的。

而且，巢被建造得具有一定的傾斜度，這樣能夠很好地避免巢被雨水淋濕。

人類是萬物之靈，然而在動物界中也存在著許多能工巧匠，而這些能工巧匠們不經意間，或多或少地幫助了人們，使人類不斷前進。

 相關連結

漂亮的縫葉鶯

縫葉鶯的身體和麻雀差不多大，但是牠卻十分漂亮。牠有著尖尖的嘴、豐滿的胸部、長長而翹起的尾巴、纖巧而細長的腿，長得玲瓏輕巧，十分可愛。牠全身的毛色為：頭呈棕紅色，眼圈呈淺黃色，上身是橄欖綠色，下身是淺棕色。

為何大雁成隊飛行

　　大雁是人們熟知的鳥類之一。在遷徙時，牠們總是幾十隻、數百隻，甚至上千隻匯集在一起，列隊飛行，古人稱之為「雁陣」。「雁陣」由有經驗的「頭雁」帶領，加速飛行時，隊伍排成「人」字形，一旦減速，隊伍就由「人」字形換成「一」字長蛇形，這是為了進行長途遷徙而採取的有效措施。

　　鳥兒編隊飛行能產生一種空氣動力學的作用。一支由二十五隻鳥編成的「人」字形的隊伍，要比具有同樣能量而單獨飛行的鳥多飛百分之七十的路程。也就是說，編隊飛行的鳥能飛得更遠。

　　當飛在前面的「頭雁」的翅膀在空中劃過時，翅膀尖上會產生一股微弱的上升氣流，排在牠後面的大雁就可以依次利用這股氣流，從而節省體力。但「頭雁」因為沒有這股微弱的上升氣流可以利用，很容易疲勞，所以在長途遷徙的過程中，雁群需要經常變換隊形，更換

「頭雁」。鳥類的這種行為並不是出於牠們對這種上升氣流的理解，而是感覺到這樣飛行時不太費力，只需要調整牠們的飛行隊形就行了。

以水平線形飛行的鳥可獲得這種鄰近升力，但以這種方式飛行時，中間的那隻鳥要比排列在任何一側飛行的鳥獲得更大的上升助力。而在「人」字形編隊中，這種升力的分布幾乎是均勻的，雖然領頭的鳥面臨的摩擦阻力要比後面的那些鳥大，但這一點可以由排在兩側飛行的鳥所產生的上升氣流來彌補。

那排在「人」字形編隊末飛行的鳥，只能從一側獲得這種上升汽流，牠消耗的能量是否特別多呢？並不是這樣，因為其他所有的鳥都在牠的前面飛行，所以這種來自一側的上升氣流是相當強的。飛鳥的這種「人」字形編隊不需要絕對的對稱，也能具有這種升力特性，即排列在一側的鳥可以比另一側多一些。

另外，大雁排成整齊的「人」字形或「一」字形，也是一種集群本能的表現。因為這樣有利於防禦敵害。雁群總是由有經驗的老雁當「隊長」。在飛行中，由於帶隊的大雁體力消耗得很厲害，所以常有別的大雁與牠交換位置。幼鳥和體弱的鳥，大都插在隊伍中間，停歇

在水邊尋找食物時，也總有一隻有經驗的老雁擔任哨兵。如果孤雁南飛，很容易被敵害吃掉。

相關連結

和大雁相關的詩句

冰簟銀床夢不成，碧天如水夜雲輕。雁聲遠過瀟湘去，十二樓中月自明。——溫庭筠《瑤瑟怨》

雁盡書難寄，愁多夢不成。願隨孤月影，流照伏波營。——沈如筠《閨怨》

孔雀開屏的原因

　　孔雀是世界上有名的觀賞鳥。牠們大部分時間是結群生活的，只有在繁殖季節，雄孔雀才會確定自己的領地，並會與侵入領地的其他雄孔雀爭鬥。

　　凡是到過動物園的人，都會被雄孔雀漂亮的羽毛所吸引，特別是孔雀正在開屏的時候。孔雀為什麼會開屏呢？有人說孔雀開屏是與人比美。真是這個原因嗎？

　　要回答這個問題，我們首先應該來了解孔雀在什麼季節開屏最頻繁。動物學工作者和經常注意到這個現象的人會告訴我們，孔雀開屏最頻繁的時候是在三月至四月，生活在中國雲南雨林裡的野生孔雀也是在這個時候開屏的。這個時候正是牠們的繁殖季節，所以孔雀開屏

現象和繁殖有密切的關係，是孔雀的一種求偶表現。隨著繁殖季節的過去，這種開屏的現象也會慢慢地消失。因此，把孔雀開屏說成是為了比美，這只不過是人們的主觀猜測罷了。

另外，孔雀開屏也是為了保護自己。在孔雀的大尾屏上，我們可以看到五色金翠線紋，其中散布著許多近似圓形的「眼狀斑」，這種斑紋從內至外是由紫、藍、褐、黃、紅等顏色組成的。一旦遇到敵人而又來不及逃避時，孔雀便會開屏，然後將尾屏抖得「沙沙」作響，眾多的眼狀斑也會隨之亂動起來。敵人由於畏懼這種「多眼怪獸」，也就不敢貿然進攻了。

而孔雀之所以會在穿著艷麗服裝的遊客面前開屏，動物學工作者認為，那是因為大紅大綠的服裝顏色和遊客的大聲談笑，刺激了孔雀，引起牠們的警惕戒備。這時，孔雀開屏也是一種示威、防禦的行為。

鴨子為什麼不怕冷

冬天的時候，鴨子仍然能夠歡快地在寒冷的湖水裡游著。難道牠們感覺不到冷嗎？牠們為什麼不怕冷呢？

科學家們經過研究發現，鴨子與其他家禽不一樣，牠們沒有汗腺，而且牠們的皮膚中有肥厚的脂肪層，這是最好的冷絕緣層。

鴨子身上的羽毛也具有很好的保溫功能。有了這層羽毛的保護，外界冷氣無法侵入，而且在羽毛裡面還有一層保溫性很好的貼身絨毛。這層絨羽非常鬆軟，是最好的防寒佳品。鴨子的尾巴上，還有非常發達的皮脂腺，皮脂腺能分泌出許多油脂，幫助鴨子禦寒。在羽毛上塗抹這種油脂後，羽毛就非常乾燥，而且不沾水、不變形。

鴨子的體溫一般在四十℃左右，並且其心臟和血管系統發育良好。鴨子的血液中含有較多的紅細胞，紅細胞內有相當豐富的血紅素，由於鴨子的血紅素很難與氧

發生反應，因此細胞組織中的氧含量很少，這樣就加強了呼吸、循環系統的機能。而且鴨子呼吸很快，心跳也非常頻繁，大約每分鐘達二百五十次，再加上牠的新陳代謝也很快，這樣牠就能產生大量體熱，從而保證自身不怕冷。

另外，科學家發現，鴨子和某些禽類的足部一樣都有一套奇妙的動、靜脈網。動脈網血管和靜脈網血管是緊緊地交織在一起的，形成一張大網，當這張網中有溫度較高的動脈血流過時，就發生熱交換，一部分的熱量從動脈血裡傳到了靜脈血裡，這部分熱量隨著靜脈血流進體內，剩下的熱量用來維持足部的溫度。這套精巧的系統保持了鴨子的體內熱量，使鴨子的體溫恆定，不會被凍傷。

鴨子之所以會具備這樣多的耐寒特性，也是牠們為了適應環境而逐漸形成的。而現在，鴨子的羽毛也被人們廣泛地應用到生活中，用來防寒保暖，很受人們的歡迎。

白頭海鵰曾面臨滅絕的原因

白頭海鵰因為體態威武雄健，又是北美洲的特產物種，而深受美國人的喜愛。因此，在一七八二年六月二十日，白頭海鵰被選為美國國鳥。

而且，美國的國徽上，還描繪著一隻白頭海鵰。牠一隻腳抓著橄欖枝，另一隻腳抓著箭，象徵著和平與強大武力。

作為美國國鳥，白頭海鵰的身價不凡，也因此受到了法律保護，但是白頭海鵰為何還是面臨滅絕的危險呢？

在一七八二年，白頭海鵰被定為美國國鳥的時候，美國本土一共有十萬多隻白頭海鵰，但是美國建國後持續不斷地開發國土，使白頭海鵰的棲息地迅速減少，過分捕獵更導致白頭海鵰數量進一步下降。

一九四〇，美國國會透過了白頭海鵰和金鵰保護法案，禁止捕殺和買賣白頭海鵰，並在民間加強了保護白頭海鵰的宣傳。這項法律頒佈後，在四〇年代初，白

頭海鵰的數量在很多州都有所回升。

　　然而，第二次世界大戰結束後不久，美國在農業生產中開始大量使用 DDT 和 PCB 等農藥，面臨食物減少的白頭海鵰，為了生存，不得不以海洋哺乳動物的屍體為食，而這些屍體的脂肪中殘留著 DDT。這些農藥透過食物鏈進入白頭海鵰的體內，使白頭海鵰產下的蛋的蛋殼變軟，因此無法孵出幼鳥。由此，導致整個美國境內的白頭海鵰瀕臨滅絕。

　　另外，人類的活動造成的白頭海鵰棲息地缺失，更加重了白頭海鵰生存的威脅。到了一九六三年的時候，美國大陸地區僅剩下四百一十七對築巢的白頭海鵰。

　　二十世紀七○年代以來，美國政府和有關機構採取了包括人工繁殖、保護棲息地、幫助人工繁殖的白頭海鵰回歸自然、加強執法力度、加強民間宣傳等一系列措施，並取得了顯著的效果。

　　一九九五年，白頭海鵰在美國的四十三個州由「瀕臨滅絕物種」定級全部被改為程度較輕的「瀕臨威脅物種」。

　　二○○三年，美國大陸地區的白頭海鵰數量已經達到七千六百多對，比一九六三年的時候增長了近二十倍。

白頭海鵰日

一九八二年，美國總統雷根宣布六月二十日為「白頭海鵰日」。同時，國會又透過了《白頭海鵰、金鵰保護法》。因為這兩種鳥在未成年時期十分相似，幾乎無法區別，所以保護金鵰對於保護白頭海鵰是極為重要的。

探索動物未解之謎

鴛鴦真的很恩愛嗎

　　鴛鴦長得非常美麗，尤其是雄鴛鴦，牠是羽色最鮮豔華麗的野鴨。鴛鴦主要產於中國，基本上是候鳥。夏天，牠們在東北地區繁殖；冬天則到長江中下游地區越冬。在南方某些山區，鴛鴦也能終年留居，成為留鳥。

　　長期以來，鴛鴦成了恩愛、感情專一的代名詞，人們將其視為愛情象徵。鴛鴦真的很恩愛、感情很專一嗎？

　　近年，科學家們發現鴛鴦並不像傳說中的那樣形影不離。平時，鴛鴦主要棲息在山地、湖泊或蘆葦沼澤地。在非繁殖期多成小群活動，並不保持固定的配偶關係；到了繁殖期，鴛鴦才表現出成雙成對的模樣。快產卵前，為了寶寶的安全，鴛鴦會尋找靠近水邊的大樹，在距離地面近十公尺高的樹洞中築巢。產卵孵化期，雄鴛鴦並不過問，撫育雛鳥的任務，也完全由雌鴛鴦承擔。

　　在這期間，如果有一方死亡，另一方也不會「守節」，牠們會趕緊另結新歡，而把舊情拋在腦後。

鴕鳥把頭埋進沙堆的祕密

鴕鳥是現存的體型最大的鳥，同時也是唯一的二趾鳥，生活在非洲的熱帶沙漠和草原地區。作為最大的鳥類和跑得最快的兩足動物，鴕鳥使人們為之著迷。而牠在遭遇威脅時，把頭栽進沙堆的行為成了動物界最深入人心的說法，這就是著名的「鴕鳥心理」。但是，事實上，這是沒有科學依據的。

鴕鳥在遇到危險時會將頭埋在沙子中的說法，其實是人類的一種誤解。千萬不要被鴕鳥呆呆的外表所蒙騙，其實牠們很懂得保護自己。在草叢中集體覓食時，牠們會運用「交叉進食」的戰術：一些鴕鳥低頭進食，另一些鴕鳥則昂首挺胸地觀察四周，警惕著隨時可能偷

襲的敵人。

鴕鳥高高的個頭使得牠們能及早發現逼近的侵略者。牠們雖然不能飛翔，卻善於奔跑，其飛奔的速度最高可達每小時七十二公里。所以當牠們受到驚嚇時，能以每小時五十公里至七十二公里的速度高速奔跑。這樣快的速度，不僅令羚羊望塵莫及，連斑馬也甘拜下風，而鴕鳥卻能保持著這樣的速度在廣闊的沙漠裡持久奔跑。而且鴕鳥深深的體色也保護著牠們，讓敵害不容易發現牠們的存在。

至於把頭埋進沙堆這一古怪行為，曾經有人認為，這樣是為了讓食肉動物誤把牠看成白蟻堆或者是矮樹叢。另外，這也可能是鴕鳥將頭和脖子貼近地面，為了聽到遠處的聲音，有利於及早避開危險；或是放鬆頸部的肌肉，更好地消除疲勞。

而事實上，並沒有人真正看到過鴕鳥將頭埋進沙子裡去的情景，如果那樣，鴕鳥會被悶死的。

天鵝高飛為何不缺氧

　　天鵝是一種美麗的水鳥，牠們長著優雅修長的脖頸，在水中滑行時常常將脖頸彎成非常優美的「Ｓ」形，顯得高貴端莊，輕盈悠閑，帶給人們無數美好的遐想。

　　天鵝棲息於湖邊的沼澤地中，冬天為了尋找食物而向南方遷徙。飛行時的天鵝身體修長平展，長頸微微上揚，雙翼優美地扇動著，在天空中形成一道極美的景致。

　　天鵝不只是飛行的姿勢優美，而且還飛得很高。一般普通鳥類的飛行高度不超過四百公尺；鶴、雁等比較大型的鳥類飛行高度可以接近兩千公尺；大型猛禽諸如鷲則可以飛到三千公尺以上。然而，天鵝卻可以飛越珠穆朗瑪峰，也就是說牠們的飛行高度在海拔九千公尺以上。

　　那麼，天鵝在高空中是如何解決呼吸問題的呢？

　　天鵝等鳥類的呼吸器官和人類的有著很大的不同，除了肺部，牠們體內還有數個可以儲存空氣的「氣囊」。在呼吸的時候，吸入的空氣一部分進入肺部，另一部分

沒有來得及和血液進行氣體交換而進入「氣囊」中被儲存起來，這裡並沒有呼吸作用發生。在呼氣時，「氣囊」中的空氣被壓出體外，此時會透過肺部，使得氧氣進入血液，補充一次氣體交換，這意味著即使呼氣時天鵝也同樣可以吸氧！

由此可以看出，天鵝等鳥類每做一次呼吸活動，肺部就會發生兩次氣體交換，這種現象稱為「雙重呼吸」。

「氣囊」和「雙重呼吸」在飛行時，尤其是在高空飛翔時顯得非常重要。 如此源源不斷的氧氣供應， 使得天鵝能夠無時無刻不充分、自由地暢快呼吸！

 相關連結

形影不離

天鵝終生不換配偶，平時雌雄成對生活。在孵卵期間牠們之間的感情尤為深厚。當雌鳥孵卵時，雄鳥就守衛在旁邊專心放哨，一旦發現敵情，立即高聲鳴叫，並拍打著翅膀勇敢地上前迎敵。雌鳥則迅速地用雜草、樹枝、絨羽等將卵掩護起來，然後隱身於草叢中，直到警報解除，才會繼續牠們的孵化工作。

兩棲、爬行類

　　既能生活在陸地上，又能暢游於水裡的青蛙，讓人十分羨慕。

　　但是你卻不知道，石蛙到了冬季，會成群結隊地來到衡山聚會。這是為什麼呢？

　　鱷魚擁有一張血盆大口，還有許多鋒利的尖牙，牠讓人感到害怕。

　　但是你卻不知道，牠經常會吃一些小石塊，還會偷偷流眼淚。這又是為何呢？

令人疑惑的蛙會奇觀

每年冬春時節，中國的衡山都會變成一個冰雪的世界。然而，此時山上的廣濟寺前，卻會出現奇特的萬蛙聚會的場面。聚會的時間多則半月，少則數日。

廣濟寺位於衡山祝融峰下，群峰環繞，古木茂盛。一年一度的萬蛙聚會就在寺前的水田中上演。立春前後，成千上萬的石蛙紛至沓來。起初，這些石蛙或成團嬉戲，相互取樂；或首尾相咬，圍成圈；或前呼後擁，擺成長龍。然後蛙騎蛙，層層堆疊，堆疊成寶塔狀。這些「寶塔」或大或小，或高或低，最高可達一公尺。

石蛙在聚會時會產卵，其卵如黃豆般大小，密密麻麻、彎彎曲曲地排列成一條條長線，佈滿水田。然後，石蛙會在一夜之間突然散去，只留下滿田的蛙卵。

冬春時節的廣濟寺前水田裡為什麼會出現這種蛙會奇觀呢？那麼多石蛙為什麼會在一夜之間全都散去？這些都是尚待揭開的謎團。

蠑螈的神奇再生術

　　所有生物都有讓身體的一些部位重新生長的能力，但是蠑螈再生的靈敏度在生物界是數一數二的，讓人驚羨。牠們在遭到攻擊時，可以自行脫落尾巴或四肢，趁機逃生。一段時間之後，這些殘肢又會重新長出。蠑螈的尾巴和四肢為什麼能夠再生呢？

　　科學家一直在研究這個問題。透過試驗發現，如果將蠑螈的一條腿砍下來，二十四小時內，受損處就會長出幹細胞，在這些細胞內，特殊的基因會被激活。三個月後，原先受損的地方就會長出一條新腿，而且能恢復其功能。從而科學家得出，蠑螈能將成年細胞恢復到幹細胞的狀態。而幹細胞是生物體內掌控細胞再生的細胞，牠是一種原始細胞，一旦身體需要，這些幹細胞可按照發育途徑，透過分裂而產生分化細胞，而這種狀態通常只能在胚胎內出現。

　　還有一部分科學家卻表示，蠑螈的器官再生並非是

探索動物未解之謎

透過幹細胞，而是透過可以「記憶細胞來源」的普通細胞。他們發現，蠑螈斷肢之後，其血脈快速收縮，以減少流血，皮膚細胞很快掩蓋傷口，肢體殘留的細胞，最終讓身體的新部位再生出來。舉例來說，只有損傷部位殘留的皮膚細胞可以再生出新的皮膚細胞，而其他細胞不可以完成這樣的任務。同樣，蠑螈斷肢處殘留的細胞具有「記憶原有肢體」的功能，牠們可以不斷分化出新的細胞，形成新的肢體。

另一些科學家在研究時發現，蠑螈的心臟也具有再生功能。他們認為其再生能力與一種重要的蛋白質的變化有密切關係。他們稱，蠑螈的心肌細胞受到損傷後，不會以結痂代替而失去其本身的特性。在此過程中，心肌的特有蛋白——肌漿球蛋白和多種肌鈣蛋白含量下降了。大約十五天後，心臟完全再生，並且其功能不受影響。此時，這些蛋白又恢復了正常。

對於蠑螈再生的原因，科學家們各執一詞，並沒有一個統一的說法。相信隨著研究的進一步深入，終會解開蠑螈再生能力的謎團。

 **相關連結**

無肺蠑螈

　　大多數蠑螈都透過皮膚和肺呼吸，但也有大約二百五十種蠑螈根本沒有肺。無肺蠑螈是透過皮膚和口腔呼吸的，也有一些居住在溪流裡的蠑螈，是直接吸收水中所含有的氧氣。而陸居種類的蠑螈必須一直保持皮膚濕潤，這樣氧氣才能透過皮膚上面的一層水進入血液。

鱷魚的「牙科醫生」之謎

　　一般人認為，牙籤鳥是鱷魚的牙科醫生，沒有牠們的幫助，鱷魚的牙齒就會壞掉。有時候，鱷魚睡著了，小灰鳥飛到牠的嘴邊後，就用翅膀拍打幾下。這時，鱷魚會自動張開大嘴，讓小灰鳥飛進嘴裡。人們一般都把這種小鳥叫做「牙籤鳥」。多少年來，人們一直對這個說法堅信不疑，並且把牙籤鳥和鱷魚的友誼當成是動物之間互惠共生的範例。

　　然而近年來，一些動物學家卻提出了不同的看法。他們認為，現在到非洲大陸旅遊的人越來越多，其中有

不少攝影家和攝影愛好者。如果他們見到小鳥鑽到鱷魚嘴巴裡的有趣場面，一定會攝下這珍貴的鏡頭。然而，類似的照片卻一張也沒有。另外，到非洲進行考察的眾多科學家，也都沒有見過這種奇異的現象。

而且，在第一個提到「牙籤鳥」與鱷魚有互惠行為的人──希羅多德去世之後的二千四百多年中，只有兩位動物學家自稱看到過牙籤鳥飛到鱷魚嘴裡吃東西的場面，但他們講述的事情都沒有具體的時間和地點，沒有真憑實據。

為了揭開這個謎，美國鳥類專家專程來到非洲衣索比亞的甘貝拉地區，進行了考察。因為多數動物學家認為，希羅多德提到的小灰鳥，應該是分布在尼羅河流域的「埃及鴴」，而甘貝拉地區正是研究埃及鴴最理想的地方。同時，這裡還有很多非洲鱷魚。在長達兩個半月的考察中，鳥類專家從來沒有看到過埃及鴴飛到鱷魚嘴裡的現象。因此這位鳥類專家認為，即使希羅多德記述的鱷魚與牙籤鳥是好朋友的故事是有根據的，那也是十分罕見的現象，不應該把它看做是動物之間互惠共生的範例。

初　　龍

鰐是現存生物中與史前時代似恐龍的爬蟲類動物相聯結的最後聯繫。鰐魚是唯一存活至今的初龍，為冷血的卵生動物，長久以來所發生的改變很少。

鱷魚流淚之謎

鱷魚是現存最大的、最危險的爬行動物,目前全世界共有二十多種。牠們生活在世界各地的熱帶和少數溫帶地區,白天在太陽底下取暖,夜晚天氣轉涼時回到溫暖的水裡。

鱷魚是凶殘的捕獵者。牠們常常潛伏在水中或是泥塘邊,等待獵物到來。然而不要因為牠們「滿臉凶氣」,嘴裡長有利齒,且能張得很大,就認為牠們只喜歡吞食大動物,其實也不一定。比如,揚子鱷就只吃些魚蝦、水生昆蟲、螺螄、小蟹及青蛙之類的東西。奇怪的是,科學家發現,有些鱷魚還有吞食石塊的習性,有時為了吃到合適的石塊,牠們還會長途跋涉。

鱷魚為什麼要吃石塊呢?經過科學家的觀察和研究,了解了鱷魚吞食石塊的原因:

一、為了幫助消化。因為鱷魚吃東西多不經咀嚼,總是囫圇吞食,而藉助石塊可以磨碎食物,就像雞鴨肚

裡的小沙礫有助於磨碎食物一樣。

二、因為鱷魚是潛水能手。吞食石塊，可以增加牠們的體重，有助於潛泳，石塊有類似船隻壓艙物的作用。

鱷魚在吞食石塊時，會流出「眼淚」。在西方古代傳說中，鱷魚在吞噬人畜時，總是一邊張著大嘴，有滋有味地吃，一邊流著憐憫的眼淚。因此「鱷魚的眼淚」常常被用來比喻偽君子的假慈悲。

鱷魚果真那麼「虛偽」嗎？其實並不是這樣的。鱷魚在海裡主要以魚蝦和軟體動物為食，常會喝到海水，而海水裡的鹽分濃度為百分之三，這比任何一種動物的體液和血液裡含有的鹽分濃度都要高得多。

因此，鱷魚要設法把體內過多的鹽分排出體外。然而，鱷魚的腎臟不完善，光靠腎臟是無法完成這一任務的。在鱷魚的眼窩後面有一個排泄鹽分的器官——鹽腺，分擔了一部分任務。當鱷魚在吞食時，由於嘴巴張合牽動腺體而排泄出了鹽溶液，人們誤以為這是鱷魚在流眼淚。

除了鱷魚外，還有些爬行動物，如海龜也有鹽腺。海龜在岸上生蛋時，眼睛也會不停地流眼淚，人們誤以為這是牠生蛋時的痛苦造成的。其實，這也是海龜的鹽

腺在排泄鹽分。

相關連結

中國的特產

　　揚子鱷是中國特有的、也是唯一的鱷種，十分珍貴。牠屬於國家一級保護動物。在所有的鱷種中，只有揚子鱷和美洲的密西鱷生活在溫帶，但是，到了寒冬季節，牠們必須深入地下窟穴蟄伏。

變色龍變色之謎

　　變色龍又名避役，是一種爬行動物。牠們主要分布在非洲地區，少數分布在亞洲和歐洲南部，非洲馬達加斯加島是牠們的天堂。牠們總是趴在樹枝上東張西望，用那靈活的舌頭及其分泌出的大量黏液，捕捉昆蟲。

　　變色龍最大的特點是，牠們能夠隨著周圍環境的變化而變換自己的體色。可是為什麼變色龍的體色能夠發生這樣的變化呢？經過科學家們的共同研究，終於找到了答案。

　　眾所周知的是，變色龍會因為周圍的光線、溫度、濕度的變化，或者是受到驚嚇，而改變牠們的顏色。這是由於牠們皮膚內的色素細胞的位置發生了變化，從而引起體表顏色的改變。在自然環境中，這是動物適應生存環境的一種表現。

　　在變色龍的表皮和真皮之間分布的有色素細胞，透過神經與激素的控制，會表現出深淺不同的顏色。而之

所以表皮顏色會發生變化，主要是由於各種色素細胞在不停地運動，以及牠們相互之間的作用所引起的。

比如，當變色龍身上的黑色素細胞擴張時，牠皮膚的顏色深暗；當金黃色素也同時收縮時，皮膚則會顯現出灰色或藍灰色。而在不同角度光線的照耀下，白色素細胞使皮膚變成灰褐色或藍灰色；金黃色素細胞中的色素顆粒的運動，使皮膚變成金黃色或綠色；紅色素細胞舒展開來，紅色就會變深；紅色素細胞收縮起來，紅色就會變淺。

有人曾將變色龍放在不同的環境中做過試驗，發現變色龍的皮膚會隨著背景、溫度和心情的變化而改變：雄性變色龍會將暗黑的保護色變成明亮的顏色，以警告其他變色龍離開自己的領地；有些變色龍還會將平靜時的綠色變成紅色來威脅敵人，目的是保護自己，避免遭襲擊。在強光照耀下，變色龍的體色變得較淺；在黑暗的環境中，變色龍的體色會迅速變暗。空氣乾燥時，牠們膚色就會變淺；空氣潮濕時，牠們的膚色就會變深。

除了上述提到的自然因素外，變色龍的神經系統也會對牠們體色的變化產生影響。另外，變色龍的腦下垂體組織所分泌的激素，也會對其變色產生一定的作用。

龜的壽命之謎

在動物世界裡，龜有「老壽星」之稱。那麼，龜的壽命到底有多長呢？

其實，龜的壽命長短並不一樣。有的龜能活幾百年，有的則只能活十五年左右。一些科學家指出，龜的壽命長短與龜的身體大小有關，龜體大的壽命就長，龜體小的壽命就短。例如象龜、海龜就是龜族中的大個頭，而牠們也是較長壽的龜。

曾經，就有人在韓國捕捉到一隻海龜。科學家表示，這隻海龜至少已經有七百多歲了。還有人在印度捕捉到一隻象龜，經鑑定，牠當時的年齡在一百歲左右。後來，這隻象龜一直被人們飼養著，最終活到了三百多歲。

那麼，龜為什麼能活這長的時間呢？壽命的長短真的和龜體的大小有關嗎？有人並不贊同這種觀點。一九七一年，在中國長江裡曾捕獲過一隻龜，牠的個子並不

大。然而，人們卻在牠的背甲上發現了「道光二十年」的字樣，那一年是一八四〇年。因此，從刻字的時候算起，牠就已經活了一百三十一年了。那麼，這隻龜的情況就打破了之前的說法。

之後，又有一些動物學家提出，以植物為食的龜比以肉為食的龜壽命要長。如生活在太平洋和印度洋熱帶島嶼上的象龜，牠們主要以青草、野果和仙人掌為食，大都能活三百歲左右。但是這一觀點，也有人將其推翻。有些資料顯示，一些以蛇、魚、蠕蟲等為食的大個頭的龜，也有長壽的。

於是，科學家又從細胞學、解剖學、生理學等方面對龜進行研究。他們發現，壽命較長的龜比壽命較短的龜的細胞繁殖代數要多。由此，他們認為龜的長壽與其細胞繁殖代數有關。

有的科學家還檢查了龜的心臟，發現龜的心臟被取出來後，還能繼續跳動兩天。因此，他們認為龜的長壽與其心臟機能的強大有密切關係。

還有的科學家認為，龜之所以長壽，與其行動緩慢、新陳代謝速度慢，以及具有耐旱、耐飢的生理機能有關。

總之，科學家們從不同的角度研究，得出的結果也有所不同，但是並不能充分地詮釋龜長壽的原因。所以，要探索出龜的長壽的祕密，還要經過長時間的努力。

 **相關連結**

龜類之最（一）

　　世界上數量最少的龜：雲南閉殼龜（世界上不足十隻）

　　世界上最小的龜：果核泥龜

　　世界上最大的龜：太平洋棱皮海龜

習性奇特的四爪陸龜

世界上的龜共有**數**百種，有淡水龜、海龜和陸龜等幾大種類。陸龜一般都有短粗的腿和鈍鈍的爪子；海龜的腿則扁平，像鰭一樣；淡水龜的腿既可以游泳，也可以行走，有時甚至還能用來進行攀爬。

陸龜的大小，形態不一，大的有如盤子，小的只有拇指那麼大。牠們主要分布在中國新疆伊犁河北岸霍城縣境內的山野中、天山山脈的西南部，以及哈薩克南部荒漠、黑海東岸、印度西北部、巴基斯坦北部等地。

由於牠們生活在陸地上，所以形態與江河中的烏龜大不相同。牠們的背甲中部略微扁平，背甲看上去呈圓

形，頭比較小，前肢粗壯而略扁，後肢為圓柱形，腳上沒有蹼，只有四隻爪。

其中，四爪陸龜在距今約兩千三百三十萬年至五百三十萬年的中新世就已經存在了，目前屬於國家一級保護動物。四爪陸龜與其他烏龜不同，普通烏龜在水中與陸地上均可存活，但四爪陸龜卻格外怕水，一旦誤入沼澤或水池，就只有死路一條。中國的四爪陸龜主要生活在海拔七百公尺至一千公尺的天山山前的黃土丘陵地帶，常在蒿草豐富、土質濕潤、螺殼較多的陰坡凹地棲息。陰天或夜晚就躲藏在洞穴中。

四爪陸龜喜歡吃植物的花果及肉質葉片，當條件允許時，也會吃些豬肝等食物，好飲水。據說，四爪陸龜最愛睡覺，既冬眠又夏眠，一年最少長眠十個月。每年春季小草萌芽時，牠們便從冬眠中甦醒，爬出洞外覓食、交配、產卵。雌龜卵產後，將其埋在土中自行孵化，一次產二枚~十枚。到夏季氣溫升高時，牠們就會進洞夏眠。陸龜生活的地方蛇很多，牠們常常幽居於同一個洞裡。

陸龜為什麼會具有這些奇特的習性呢？科學家們正在對四爪陸龜進行進一步的研究。

相關連結

龜類之最（二）

最凶猛的龜：蛇鱷龜和大鱷龜

最溫順的龜：緬甸陸龜

最耐冷的龜：分布於美國西北部和加拿大的西部錦龜

最耐旱的龜：埃及陸龜

會「輕功」的蜥蜴

蜥蜴是世界上分布最廣的爬行動物。蜥蜴的種類非常多，牠們擅長奔跑、攀緣、掘洞和游泳，有的甚至還能飛行。

科莫多巨蜥是世界上最大的蜥蜴，很擅長游泳，經常在水中捕食魚類；樹蜥與龍蜥善於攀援；飛蜥的前後肢間有發達的皮膜，可以由高處滑翔到地面；沙蜥生活於沙漠地區，能將身體迅速埋入沙中；而蛇怪蜥蜴，卻能在水上疾步如飛。

蛇怪蜥蜴為什麼就能做到這一點呢？多年以來，人們在這個問題上，開展了成千上萬次探索實驗。

眾所周知，有些昆蟲之所以能在水面自由「行走」，主要是因為牠們體重較輕的緣故，水面的張力和浮力足以將牠們托起。但是蛇怪蜥蜴的個頭較大，為什麼也能夠在水面上疾步如飛呢？

美國科學家發現，蛇怪蜥蜴的腳掌底部有類似於葉

子一樣的懸垂物。在陸地上行走時，這些懸垂物就會收起來。可是，一旦遇到危險，跑進水裡的時候，這些懸垂物就張開，使腳掌與水面的接觸面積大增。但僅憑這一點，蛇怪蜥蜴仍然不可能在水面上奔跑，牠們肯定使用了獨特的水上行走技術。

蛇怪蜥蜴在水上奔跑的動作可以分成三部分：拍擊、撲打、還原。當蛇怪蜥蜴拍擊水面時，腳主要是垂直運動；撲打時，腳主要向後運動；而在還原過程中，腳抬起，離開水面，回到下一步的開始動作。在這些階段，蜥蜴需要足夠的力，才能保證牠跑在水面上，同時還要保持身體直立。

蛇怪蜥蜴的腳向下拍擊水面，迫使水下沉或從腳下流走，同時在腳的周圍形成一個氣泡，產生了一個支撐力。這個支撐力足以使蜥蜴的腳掌向後撲打時，將身體支撐在水面上，而腿向後撲打又產生了使牠前進的力，同時，蜥蜴身體有向前傾倒的趨勢，必須有某種機制能讓牠保持平衡。這就是中部向兩側的支撐力發揮作用的所在，這種力幾乎和向正上方的力一樣大，這些力共同作用使牠得以具有水上飛的絕活。

奇異的雙頭蛇

　　有關雙頭蛇的傳說已經有一千多年的歷史了，中國古書中對雙頭蛇也多有記載。

　　不久前，一位學者就在北非親眼見到了一條雙頭蛇。這位學者是在熱帶叢林中的一個村寨中見到雙頭蛇的。當地土著人視這條雙頭蛇為護身符，由整個村寨的人精心照料著。這條雙頭蛇的模樣很像響尾蛇，但身體的大小又像蟒蛇，有劇毒，主要靠獵食各種小動物為生。

　　為什麼會出現雙頭蛇呢？有人認為，雙頭蛇是蛇的變異種，主要是因為其基因受到污染或染色體產生突變。由於身體結構不同於正常同類，這種蛇多數只能存活一週至二週。可這位學者所見的這條雙頭蛇既然被當地土著人作為護身符一樣崇拜，受到精心餵養和照料，其壽命肯定遠遠超過了一週至二週。這又是怎麼回事呢？

　　遺憾的是，關於雙頭蛇的這些謎團，科學家們至今還沒有找到滿意的答案。

毒蛇「朝聖」之謎

　　希臘的西法羅尼亞島上流傳著這樣一個美麗的傳說：很久以前，有一群海盜洗劫了西法羅尼亞島，還捉走了島上的二十四名修女。倖虧聖母把這些修女變成了毒蛇，才讓她們擺脫了被玷污的厄運。這些修女為了報恩，就在每年的八月六日到十五日，去教堂朝拜感恩。

　　雖然這只是一個美麗的傳說，但事實上，一百二十多年來，每年的八月六日到十五日期間，都會有數以千計的毒蛇紛紛爬向坐落在島上的兩座教堂。牠們通常都是在教堂的聖像下面盤踞十天左右才離開。令人迷惑不解的是，毒蛇朝聖的日子，竟然都是希臘的重要節目：八月六日——希臘人紀念上帝的日子；八月十五日——紀念聖女的日子。

　　這些毒蛇為什麼會定期來教堂呢？牠們為什麼正好在當地的重要宗教節日時光臨教堂呢？這些現象讓科學家們百思不得其解。

蛇島之謎

在遼寧省旅順市西北二十五海里處的渤海灣中,有一座面積只有零點七三平方公里的孤島。從表面上看,這座島沒有任何特別之處,但實際上,它卻是一座有著近兩萬條黑眉蝮蛇的蛇島,而且島上僅此一種蛇類。難道它們是島上的原始物種嗎?

科學研究表明,蛇島上的蛇來自陸地。但是,牠們既不是遠渡重洋而來的,也不是有人將牠們送到這個島上的,而是遠古時期海陸變遷將牠們留在了島上。大約

十億年前，遼東半島和蛇島是連在一起的。那時的海平面很高，它們均被淹沒在海水之中。到了大約四億年前，海平面下降，遼東半島與蛇島逐漸露出海面，大陸上的蛇便在這裡繁衍生息。而當海平面回升時，蛇島逐漸與遼東半島分開，蛇便留在了蛇島上。雖然幾經演變，但蛇島上的蛇不僅沒有被天災所滅，反而在環境適宜的島上繁衍下來，形成了今天的蛇島。

可是，為什麼只有黑眉蝮蛇能夠成為蛇島上的霸主呢？

我們就從蛇的食物和習性上來探討這個問題。陸地蛇最主要的食物是青蛙和老鼠，但是蛇島上缺乏淡水，因此青蛙在島上根本無法生存。島上雖然有老鼠，不過其數量遠遠不能滿足這麼多蛇的生存需要。物競天擇，於是島上單純以青蛙和老鼠為食的陸地蛇種逐漸消失，只剩下食性廣泛、獵食能力強的黑眉蝮蛇了。在漫長的歲月中，黑眉蝮蛇還練就了一種特殊的本領——捕食飛鳥。黑眉蝮蛇能纏繞在樹枝上，好幾個小時都一動不動，再加上牠們有著與樹枝顏色相似的保護色，所以常有小鳥飛進牠們的捕食範圍，並落入牠們的口中。

但是，蛇島上有近兩萬條黑眉蝮蛇，按平均每條蛇

每年吃掉六隻至八隻小鳥來算，這也是一個龐大的數字。蛇島上的小鳥數量能滿足黑眉蝮蛇的需要嗎？答案是肯定的。原來，蛇島正位於候鳥南北遷徙的必經之路上，是一些小型候鳥海上飛行的中轉站。候鳥的到來為蛇島上的黑眉蝮蛇提供了豐富的食物，但也有人提出，蛇島周圍還有四個地理環境和氣候條件與蛇島差不多的小島，為什麼這四個島上沒有像蛇島那樣，生活著大量的黑眉蝮蛇呢？看來只有經過科學工作者進一步的努力，才能探明其中的奧祕了。

昆　蟲　類

　　五彩斑斕的蝴蝶，三三兩兩地飛落枝頭，也能引得人們駐足觀看。

　　那你見過成千上萬隻蝴蝶聚會的景觀嗎？這是何等的壯觀，又是何等的奇妙！

　　螢火蟲為夏季的夜晚增添一抹夢幻的色彩，讓人為之著迷。

　　那你可曾發現螢火蟲的祕密？牠是何處發光，又是怎樣發光的呢？

翅膀上寫著字的蝴蝶

蝴蝶的翅膀五彩斑斕，非常漂亮。那些美麗的花紋是由瓦片狀的鱗片構成的。這些鱗片不僅能使蝴蝶豔麗無比，還具有一定的防水功能，就像是蝴蝶的一件雨衣。

有些蝴蝶的翅膀不僅色澤亮麗，上面還有許多有趣的圖案。比如，中國遼寧千山上的一種蝴蝶，牠翅膀上的圖案看上去好像英文字母「C」。

美國有一個名叫福斯特的人，專門收集翅膀上有圖案的蝴蝶。他不僅將二十六個英文字母的圖案搜集全了，還搜集到翅膀上分別有1、2、3、4、5、6、7、8、9、0這些阿拉伯數字的蝴蝶。此外，他還發現了一些蝴蝶翅膀上，有類似於「！」「？」「，」等符號的圖案。

那麼，這些蝴蝶翅膀上有趣的圖案與我們所熟悉的字母、數字、符號等一樣，是一種巧合嗎？人類創造出這些字母、數字、符號，有沒有受到過蝴蝶翅膀圖案的啟發呢？這些謎團還有待於科學家的進一步探索。

蝴蝶遷飛聚會之謎

平時，人們看到三三兩兩的蝴蝶飛落枝頭，都會覺得驚喜。如果說中國有一些地方曾出現過成千上萬隻蝴蝶大聚會的壯觀景象，你會不會覺得很驚訝呢？

神奇的「蝶泉」和「蝶雪」

在蝴蝶聚集的景觀中，最著名的是「蝶泉」和「蝶雪」。

每年的農曆四月，就會有成千上萬隻蝴蝶飛到雲南大理的蝴蝶泉邊。牠們有的翩翩起舞，追逐取樂；有的排列成隊，吊在樹枝上，形成一條幾乎垂到水面的長長的「蝴蝶鏈」。這就是世界上著名的「蝶泉」景觀。

每年夏季，在中國甘肅省興隆山風景區、湖北省神農架自然保護區的拜臺溝，都會雲集幾十萬隻白蝴蝶，紛紛揚揚，像漫天飛舞的鵝毛大雪。這就是世界上有名的「蝶雪」景觀。

蝴蝶不僅喜愛聚會，還能進行長途遷飛，甚至能成群結隊漂洋過海。據文獻記載，航海家哥倫布在環球旅行的途中，發現成千上萬隻蝴蝶成群結隊從歐洲飛往美洲。據統計，全世界曾有兩百多種蝴蝶，發生過上千次遷移飛翔。

為何大量的蝴蝶會遷飛到同一個地方？這是個不解的謎。

環境影響

有的昆蟲學家認為，昆蟲遷飛是為了躲避不良的環境條件，這是物種生存的一種本能行為。

他們提出兩種假說：一種認為，遷飛是昆蟲對當時不良環境條件的直接反應，如食物缺乏、天氣乾旱、繁殖過剩、過分擁擠等。另一種認為，某些環境條件的改變，影響到昆蟲的個體發育，致使其成為一種遷飛型的昆蟲。

但是上述兩種假說，並不能解釋所有蝴蝶遷飛的現象。弱不禁風的蝴蝶，為何會擁有飛越崇山峻嶺，漂洋過海，航程三千公里至四千公里的巨大能量呢？這股能量又是從哪裡來的呢？

遷飛的動力來自何處

　　蝴蝶如何能飛那麼遠的路程？牠們在天空中又是靠什麼來定向導航的呢？早期有一種解釋認為，蝴蝶每年按照同樣的路線往返遷飛，是靠記憶識別地形來導向的。後來鳥類學家發現，蝴蝶常常跟著「暖氣流」一起遷飛。

　　細心的科學家又發現，蝴蝶和蛾子的觸角是一種天然的「導航儀」，可以保持其正確的飛行方向。

　　目前，科學家們正在用先進的雷達設備對蝴蝶的遷飛進行深入的研究。相信有朝一日，蝴蝶遷飛聚會之謎會真相大白。

揮舞「大刀」的螳螂

　　螳螂長著一個可靈活轉動一百八十度的三角形小腦袋，腦袋上長著一對大複眼和三個小單眼，還頂著一對反應極為敏捷的觸角。螳螂的複眼突出，在白天看，牠的複眼為灰綠色，但是到了晚上就會變成黑色。

　　在晚上為了適應環境，看清周圍的捕捉對象，螳螂的每一個單眼都要進入更多的光線，像人眼睛的瞳孔會放大一樣。這樣，螳螂的每一個單眼就變成黑色的，整個複眼看起來也就成為黑色的了。

　　白天時，為了光線少進入，瞳孔就會縮小，黑色的瞳孔也變小，單眼就不是那麼黑了，所以白天螳螂的眼睛就變成灰綠色的了。

　　螳螂可以稱得上是昆蟲界的捕蟲高手。牠們屬於肉食性昆蟲，專門消滅害蟲。一隻螳螂在兩、三個月內可以吃掉七百多隻蚊子。而且牠們的捕獵動作非常快，從猛撲到擒拿到手只需〇點〇五秒。螳螂的前足像大刀一

般寬闊而又鋒利，是最厲害的殺傷武器，那些無惡不作的害蟲，往往成了牠們的「刀下鬼」。

然而，成為雌螳螂「刀下鬼」的不只有害蟲，還有雄螳螂。而且，大多雄螳螂都是在和雌螳螂交尾時，被吃掉的。這是為什麼呢？

有人說，雌螳螂之所以在交尾時吃掉雄螳螂，是因為產卵需要大量的能量，雄螳螂的肉正是極好的能量來源，而且，控制交尾的神經不在頭部，而在腹部。如果頭部的某些神經抑制中樞被吃掉，還有助於交尾。

不過，很少有人在野外觀察到雌螳螂吃夫，所以有人認為在實驗室裡的觀察下，雌螳螂可能是因為受到驚嚇，才作出這樣異常舉動的。也有人透過實驗得出：如果螳螂不在人們的注視下交尾，牠們之前會有一場求偶儀式。在這樣的情況下，基本沒有出現雌螳螂吃掉雄螳螂的情況。

另外，實驗室裡養的螳螂基本處於飢餓狀態，透過實驗證明：雌螳螂處於極度飢餓的狀態時，一見到雄螳螂就會立刻撲上去將牠吃掉；而那些沒有餓著肚子的雌螳螂則並不會吃雄螳螂。

解讀瓢蟲的祕密

　　瓢蟲的身體呈卵圓形，背部拱起形成一個半球形的弧；牠們的色彩鮮豔，還具有黑、黃或紅色的斑點；牠們的頭部是黑色的，最頂端還有兩個淡黃色的斑紋。

　　瓢蟲有集體遷飛的習性。在中國，每年的五、六月間，北方地區都會有成群的瓢蟲聚集遷飛，局部海岸被密密麻麻的蟲體覆蓋，使海岸呈現淡紅色，有時連海面都會被這些成群的瓢蟲染紅。

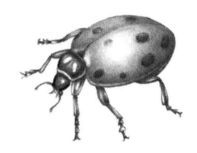

　　集體遷飛的瓢蟲看起來十分和睦，景色十分壯觀。但是在瓢蟲的幼蟲時期，卻存在自相殘殺——被同種其他成員所食的現象。瓢蟲之間為何會出現這種行為呢？通常看來，這種行為對於物種是不利的。其實，這種同類相食的行為，有控制種群數量的作用。在瓢蟲中，自相殘殺的類型

很多，常見的有以下三種：

一、幼蟲對卵的殘殺。當食物缺乏時，捕食性瓢蟲（甚至是植食性瓢蟲）同種不同個體之間會相互殘殺，結果一部分瓢蟲得以存活。這種自相殘殺雖殘忍，但對瓢蟲的生存有利。幼蟲對卵的殘殺比較常見，通常是小幼蟲，甚至是剛孵化的幼蟲對還未孵化的卵的殘殺。

二、幼蟲對幼蟲的殘殺。幼蟲對幼蟲的殘殺往往是大的對小的，或強的對弱的，但幼蟲也可以攻擊個體大卻正在脫皮的大幼蟲。

三、幼蟲對蛹的殘殺。蛹的腹末端粘在植物上，處於半靜止狀態，而且蛻皮後一段時間表皮是很軟弱的。此時，面對其他幼蟲的捕食，牠既不能逃走，也沒有能力反擊；蛹前期皮很嬌嫩，也不能產生很好的保護作用。

 **相關連結**

益蟲和害蟲的區分方法

其實鑒別益蟲和害蟲很簡單，那就是看瓢蟲的鞘翅：凡是鞘翅細膩且光滑潤澤的，就是益蟲；如果鞘翅上佈滿了密密麻麻的細絨毛，那牠就一定是害蟲。

縫葉蟻

縫葉蟻是一種淺紅色的大螞蟻，生活在東南亞和澳大利亞熱帶森林的邊緣地區。牠們和我們所認識的那些螞蟻不一樣。牠們的巢並不在地下，而是築在高高的大樹枝頭上。這種蟻巢呈橢圓形，每個有足球般大小，是用樹葉縫合起來，懸掛在枝頭上的。縫製、建造這奇特蟻巢的「建築師」，就是大名鼎鼎的縫葉蟻。

縫葉蟻體型大，看起來比一般的小螞蟻顯得粗笨，可是，牠們築巢的時候卻十分靈巧，能夠穿「針」引「線」，縫製出精美的蟻巢。

縫葉蟻開始築巢前，會先爬到一株闊葉樹上，在枝頭精心選擇好兩張完整結實的大葉片。然後，縫葉蟻在葉片的邊緣上一字排開，在葉緣上咬出一排整齊的小孔。孔咬好後，牠們又趴在葉緣上，齊心協力，用後足用力攀住自己所在的葉片，再用前足將另一片葉子使勁拉過來，使兩片葉子的葉緣對合到一起。

當一切準備工作就緒以後，另一些縫葉蟻就從原先的蟻巢裡，銜出一條條會吐絲的幼蟲，用擠壓的辦法使牠們吐出黏絲來，然後把它們當做針梭，在兩片葉緣的小孔中來回穿梭。就這樣，幼蟲吐出的絲線就把葉片「縫」合在一起了。

比起縫葉鶯用植物纖維等縫製的鳥巢，縫葉蟻縫合的巢不但針腳齊整，而且十分堅固，看起來更好。這樣精巧的縫紉技藝，在動物界裡是十分難得一見的。

縫葉蟻為什麼要在樹枝上用葉縫製蟻巢呢？牠們把巢穴建在大樹上，可能是因為那樣既可以躲避那些食蟻的動物，又不必顧慮蟻巢被雨水淹沒，比地面安全多了。

 相關連結

螞蟻的食物

不同的螞蟻吃不同的食物。收穫蟻吃種子，牠們將種子收藏在地窖裡；而割葉蟻吃蘑菇，牠們將葉片搬運到地下，用來培植蘑菇。有些螞蟻則貯存一種叫蚜蟲的昆蟲，牠們從蚜蟲體內抽取含糖的物質作為食物，這和人類從母牛身上擠奶食用的方式非常相似。

高超的定向能力

　　螞蟻是地球上最常見的昆蟲之一，也是數量最多的昆蟲種類。牠們生活在組織嚴密的團體裡，每個團體裡都有成千上萬隻螞蟻。牠們之間的等級分明、分工明確，主要有負責繁衍後代的繁殖蟻；負責挖洞築巢，覓食，照顧蟻后、卵和幼蟲的工蟻；負責保衛家園，以及破碎堅硬食物的兵蟻。

　　每隻螞蟻都會堅守自己的崗位，做到盡職盡責。工蟻一般到離蟻窩幾百公尺遠的地方單獨覓食。而且，無論路程多長，牠們都不會迷路。有的科學家認為，螞蟻之所以不迷路，是因為牠們是靠太陽作為標誌的。也有人認為，螞蟻是靠沿途的標記物來定向的。

　　螞蟻到底是依靠什麼來認路的呢？曾經有兩名瑞士科學家對螞蟻進行了一些有趣的試驗。一天清晨，他們捕捉了一些工蟻，並將工蟻放進一個沒有一絲光線的潮濕容器裡，然後將這個容器放到工蟻不熟悉的地方。到

了中午，再將工蟻從容器中放出來，而且這些工蟻的頭頂上空還有一個特製的小車。小車上有濾光裝置，因此，工蟻不僅看不見能夠當做定向標的各種物體，而且牠們所看見的天空面貌也已經失真。

這樣，牠們就無法利用太陽或標記物來確定方向。儘管如此，這些工蟻並沒有迷路，牠們非常迅速地找到了正確的方向。

同樣，科學家們在中午捕捉了一些工蟻，用相同的方法，在傍晚時分將其放出，這些工蟻也非常迅速地找到了正確的方向。

透過這個實驗得知，螞蟻判斷方向並不是單純依靠太陽的位置或沿途的標記物，還依靠牠們穩定的記憶力。工蟻們能夠記住太陽在一天中的不同時刻，在天上運動所經過的弧度，而且具有時鐘系統，能夠補償太陽在天空中運動的不勻速所帶來的誤差，從而找出正確的方向。

小小螞蟻有著如此複雜的「時鐘」定向系統，確實讓人嘆服。但這樣一個系統在牠們體內是如何構成的呢？這還有待於科學家們進一步進行研究。

螢火蟲為什麼會發光

　　夏天的夜晚，人們漫步於街頭，總是能看到一閃一閃的東西飛來飛去，那就是螢火蟲。螢火蟲為什麼會發光呢？

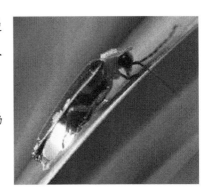

　　科學家們研究發現，在螢火蟲的腹部長有一個發光器，上面還有小窗孔狀的發光層。在發光層的下面是一個反光層，這些發光層上包含有幾千個發光細胞，每個發光細胞都是由熒光素和熒光酶構成的。熒光素在熒光酶的作用下，可以和發光器周圍的氣管所供應的氧化合發出熒光。

　　我們都知道，螢火蟲的光並不是一直亮著的，而是閃爍不定的。那麼這又是為什麼呢？之所以會造成這種現象，是因為氣管輸送的氧氣不定。當氧氣充足時，光亮就強；氧氣不充足時，光亮就會變弱，甚至黯淡無

光。而且，在螢火蟲體內有一種叫做三磷酸腺苷的高能化合物，每當熒光變弱時，熒光素就會與這種高能化合物相互作用，然後螢火蟲就會重新發光。

　　科學家們從螢火蟲發光的特性中得到了很大的啟發。他們先後從螢火蟲的發光器中成功地提取了純熒光素和熒光酶。沒過多久，科學家們又用化學方法人工合成了熒光素，也有人稱之為冷光源。目前，我們日常使用的光源中，只有極少部分的電能能轉化成光能，大部分的電能都被轉化成熱能而消耗掉了，所以發光效率很低。而且發電需要消耗大量的煤、油等不可再生資源，不但浪費，還對環境造成了污染。

　　但熒光素則屬可再生資源，用它發光，不用擔心上述問題。冷光源光色柔和，不會對人的眼睛造成刺激和傷害。冷光源還可以將大部分的化學能轉化成光能，能量轉化率特別高，大大地提高了資源的利用率。

　　目前的研究成果顯示：冷光將大範圍地應用於未來人類的生產、生活以及其他領域中，人們的生活將因冷光而更加豐富多彩。

 **相關連結**

車胤囊螢夜讀

東晉的大臣車胤，兒時家中貧困，他白天要勞動，只有晚上才有時間讀書，但是又沒有錢買油點燈。一個夏天的晚上，他坐在院子裡，看見螢火蟲像許多小燈在夜空中閃動。於是，他捉了一些螢火蟲，把牠們裝在一個白布袋裡，靠螢火蟲所發出的螢光來讀書。

蜻蜓點水的祕密

蜻蜓被人們稱做「最出色的飛行家」。牠們在衝刺飛行時，速度可達到四十公尺／秒。而且牠們的耐力也很驚人，連續飛上一個小時也不會覺得累。但蜻蜓總是不斷地把尾部插入水中，這是為什麼呢？

科學家們研究發現，蜻蜓點水實際上是牠的產卵動作。蜻蜓為什麼要把卵產在水中呢？因為蜻蜓主要以蠅、蚊、小型蛾類、稻虱等昆蟲為食。而蚊子的幼蟲和蜉蝣的幼蟲等都長在水中，所以，蜻蜓要把卵產在水中，這樣，牠們的幼蟲就能夠尋找足夠多的食物。

蜻蜓的卵在水裡孵化後直到變成成蟲之前，一直都生活在水中。蜻蜓幼蟲也有三對足，但沒有能飛翔的翅膀。牠們的下唇可以彎曲，頂端是用於捕捉食餌的工具鉗。牠們在休息的時候，口完全被彎曲的下唇遮擋住。我們稱蜻蜓的幼蟲為水蠆。在大概一年半的時間裡，牠們要進行十多次蛻皮，然後爬出水面，最後變成蜻蜓。

蟋蟀叫聲中的祕密

　　蟋蟀是一種可愛的昆蟲，因鳴聲悅耳而聞名，因為雄性蟋蟀能發出「蛐蛐」的聲音，所以人們也叫牠們「蛐蛐」。蟋蟀生活在土壤略微濕潤的旱田裡、磚石下面或草叢間。生物學家們發現，雄蟋蟀在求偶時會發出「蛐蛐」的鳴叫聲，進行爭鬥時也會發出響亮的鳴叫聲。與雌蟋蟀交配前，雄蟋蟀還會唱起婉轉而輕柔的情歌。那麼，除此之外，蟋蟀鳴叫還有沒有其他原因呢？

　　一八九七年，美國一位物理學家透過研究發現，蟋蟀的鳴叫與溫度有直接關係。後來，一些英國的研究人員透過測試也發現，蟋蟀在十五秒內鳴叫的次數加上四十，所得的數字正好是當時當地的華氏溫度。而且，雄蟋蟀對溫度的變化非常敏感，哪怕是極細微的溫度變化，也能察覺到，並會透過改變自己的鳴叫次數體現出來。蟋蟀的鳴叫果真與外界環境的溫度變化有關嗎？這還有待於科學家們進一步地研究。

蜜蜂和睦之謎

在蜜蜂社會裡，牠們過著一種母系氏族生活。成千上萬隻蜜蜂以蜂后為中心，群居在一個蜂巢裡。牠們的主要成員可分為三種：蜂后，主要員責繁殖和調節作用，是群體中獨一無二的；雄蜂，是員責在交配時給新蜂后授精的，只有數隻；工蜂，是整個群體中最勤勞的，牠們在短短一個月的生命中，要充當保姆、主婦、建築工、保管員、守衛、採蜜員，約有五萬隻。

蜜蜂幼蟲住在蜂巢的子脾裡，其數量的多少取決於很多因素，如蜂后的生育能力、氣候條件、食物來源、疾病等。神奇的是，這麼簡單的組織機構卻進行著讓人驚嘆的協調分工管理工作：工蜂聽從蜂后指揮，蜂后透過分泌信息素向牠們傳達命令。

工蜂是蜜蜂群體中數量最多，體型最小的。隨著身體的不斷成長，工蜂的工作內容會發生改變。在出生後的第一天到第三天，工蜂清掃空子脾，以便蜂后產卵。

從第三天起，工蜂頭部的乳腺開始發育，牠們就變成了保姆。牠們先是照料稍大的幼蟲，在能夠分泌蜂王漿後就照料小一點的幼蟲。蜂王漿是蜂后和幼蟲的重要食物。乳腺萎縮後，工蜂就開始做其他的工作：清除廢物和蜜蜂屍體，儲存花蜜和花粉。第十二天到第十九天，工蜂分泌蜂蠟築造蜂房。築巢的工作一直持續到第二十天。這時，為記住巢的地點所在，工蜂會在巢附近徘徊飛行。從第二十一天起，牠們開始外出採蜜，直到死亡。

為什麼蜜蜂的「社會」能夠一直保持著和諧的景象呢？科學家們正在做進一步調查。

此外，蜜蜂「社會」還有一種獨特的現象——分蜂。該現象一般在春季發生。蜂后率領蜂群中三分之二的成員遷移，將王位讓給另一隻蜂后。

對於分蜂，專家們有兩種不同意見：一種觀點認為，蜂蜜生產不足，更多的蜂房用作了子脾，這時蜂后產卵增加，必須透過分蜂解決；另一種則認為，可能是由於激素的原因促使新蜂后誕生，迫使老蜂后離巢而去。孰是孰非，目前還沒有定論。

相關連結

蜜蜂的祕密

要釀出五百克蜂蜜，工蜂需要來回飛行三萬七千次去尋找並採集花蜜，帶回蜂房。

蜜蜂的翅膀每秒可扇動二百次至四百次。

蜜蜂飛行的最高時速是四十公里。當牠滿載而歸時，飛行時速為二十公里至二十四公里。

蜜蜂高超的數學才能

　　蜜蜂是勤勞的，牠們釀造出了最甜的蜜；蜜蜂是聰明的，牠們會分工合作，還會用舞蹈的形式告訴同伴，哪裡有花源，數量的多少。最令人驚奇的是，蜜蜂的蜂巢中居然涉及數學知識的運用。

　　德國的兩名昆蟲學家曾做過這樣的實驗：他們在蜂巢和盛有糖漿的飼料槽之間設置了四個帳篷，每個帳篷之間的距離為七十五公尺，以此訓練蜜蜂到飼料槽中覓食。當帳篷的數量和距離改變後，蜜蜂仍然是飛過第四個帳篷去尋找食物。可見，蜜蜂已經記住了數字「4」，並且是透過數數來尋找目標的。

　　每當太陽升起的時候，偵查蜂就會去偵察蜜源，然後用「舞蹈語言」彙報信息。牠先是左右搖擺腹部，沿直線爬行一小段距離，然後往一邊兜半個圓圈，再回到起點，用相同的方法往另一邊兜半個圓圈，從而形成一個「8」字。科學家研究發現，蜜蜂在一定的時間內跳

「8」字舞次數的多少，表示蜂巢到蜜源的距離遠近。在十五秒鐘內重複舞九次至十次，表示蜜源距離為一百公尺；重複四次至五次，表示距離為一千公尺；重複二次，表示距離為五公里；只舞一次，則表示距離為八公里。收到信息後，蜂王便派工蜂去採蜜。神奇的是，被派出去的工蜂不多不少，恰好都能吃飽，保證回巢釀蜜。

蜜蜂的蜂巢所涉及的數學知識是極為複雜的。牠是嚴格的六角棱錐柱形體。在面積一定的情況下，正六邊形的周長是最小的。因此，蜜蜂建的蜂巢所需的材料──蜂蠟最少，工作量也是最小的。而且，組成蜂巢底盤的菱形的所有鈍角都是一百零九度二十八分，所有銳角都是七十度三十二分。

數學家們經過計算發現，如果要消耗最少的材料製成最大的菱形容器，正是這個角度。蜂房的巢壁厚○點○○七三公分，誤差極小。從這個意義上說，蜜蜂稱得上是「天才的數學家兼設計師」。

蜜蜂為什麼會有如此高超的數學才能？牠們還有沒有其他涉及數學原理的行為？科學家們正在致力於這些問題的研究。

相關連結

神奇的蜜蜂

　　一隻蜜蜂毛茸茸的身體上能粘住五萬粒至七十五萬粒花粉。

　　一湯匙蜂蜜可以為蜜蜂環繞地球飛行一圈提供足夠能量。

　　夏季，工蜂的壽命是三十八天；冬季，牠們的壽命是六個月。

　　蜂王的壽命一般是四年至五年。

　　藉助五隻複眼和三隻單眼，蜜蜂的視角幾乎可以達到三百六十度。

蝗蟲之謎

在弱肉強食的自然界裡，昆蟲算是任人宰割的弱者，但假如牠們成群結隊地集體行動，就會產生巨大的威力。蝗蟲就是最具代表性的一種。牠們的數量極多，生命力頑強，能棲息在各種場所。牠們在山區、森林、低窪地區、半乾旱區、草原分布最多，是大多數作物的剋星，史書就曾提及蝗蟲經過後的情形是「赤地千里，寸草不留，餓殍載道」，危害之大令人觸目驚心。

最早的蝗災記錄可以追溯到九千多年前。自從人類開始進入農耕時代以後，蝗蟲就一直是人類的大敵。牠們不僅損壞莊稼，也對人類生活的其他方面造成重大影響。

人類很早就注意到嚴重的蝗災往往和嚴重的旱災相伴而生。造成這一現象的主要原因是什麼呢？這些大數量的蝗蟲從何而來呢？昆蟲學家經過多年的研究，已初步解開了其中的一些祕密。

　　蝗蟲是一種喜歡溫暖、乾燥氣候的昆蟲，乾旱的環境對牠們繁殖、生長發育和存活有許多益處。蝗蟲是將卵產在土壤中的，土壤的含水量在百分之十至百分之二十時最適合牠們產卵。同時，蝗蟲產卵的地方比較集中，一旦生產條件適合，牠們的數量就會劇增，而且十分密集。另外，蝗蟲為了維持體溫，需要成群結隊地活動，因而會越集越多，形成數量驚人的蝗群。但牠們為什麼又要遷徙呢？是為了食物的需要嗎？有些蝗群遷徙的路線長達三千多公里，有時還要跨越重洋，僅僅是因為要尋找食物似乎解釋不通。又有人認為，牠們是為了維持身體的熱量而追隨著太陽移動的。但有些蝗群的遷飛路線則是由南向北，從赤道一直飛到了北非；而且那麼大數量的蝗群在短時間內又會銷聲匿跡，牠們為什麼會消失呢？這又是一個待解之謎。

相關連結

現實中的喻意

蝗蟲，引申為「吃皇糧」的害蟲，意為貪污腐敗的國家公職人員。比喻那些自己不去勞動而又吞食集體勞動成果的人。因為蝗蟲是侵蝕莊稼的害蟲，用來比喻不勞而獲、坐享其成的人是最好不過了。蝗蟲還可以用來比喻一哄而起，如現在所說的「蝗蟲經濟」。

動物房子之謎

　　動物中有許多「建築高手」，牠們的「建築傑作」絲毫不遜於人類的。

　　白蟻能在地下幾十公分甚至數公尺深的地方修築巢穴。牠們的巢大部分都藏在地下，有一部分露在外面。蟻巢在地面的部分，稱為「蟻塔」。蟻塔一般為兩公尺至三公尺，最高的達六公尺，它主要用泥土以及白蟻分泌物和排泄物建成。蟻塔內部通常有一個主巢，三個至五個副巢，巢內分隔成許多小室。主巢的中部是蟻王和蟻后的「王室」。此外還有孵化室、倉庫等。蟻塔內建有豎直的空氣調節管道以及溝渠和堤壩，用來流通空氣和排除雨水。白蟻究竟為何會具有如此高超的建築技巧呢？這實在令人費解。

　　沼石蛾幼蟲建造的「套子房屋」精巧而細緻。沼石蛾幼蟲下唇末端有一塊不大的唇舌，上面有絲腺孔，孔中可以分泌出一種能在水裡迅速凝固的黏性物質。沼石

蛾幼蟲把這種黏性物質塗抹在小貝殼、沙粒等物體上，並把它們黏起來。沼石蛾幼蟲還把這種分泌物抹在「房屋」內部，讓「房子」光滑、整潔。牠們還能夠利用其他東西作為建築材料。有人試驗證明：給牠們一些小玻璃球或玻璃屑，牠就會造出一座小巧玲瓏的玻璃房子。

蜜蜂的建築更讓人難以相信。如果你仔細觀察蜂巢，就會發現它是由無數個六角柱狀體的「小房子」聯合起來的。房底呈六角錐體狀，包括六個三角形，每兩個相鄰的三角形可以拼成一個菱形，一個房底由三個相等的菱形組成。經過計算得知，以這樣的菱形面組成的蜂巢結構，容量最大，而所需的建築材料最少。

這些昆蟲為什麼具有如此卓越的建築才能呢？至今還沒有人能解開這個謎。

相關連結

海狸

在自然界中，有一種動物生來就是建造大壩的天才。其中，海狸建造大壩的歷史已經有五百萬年左右了。牠們建造的大壩能夠達到三〇四公尺左右，而且，大壩的堅固程度足以抵擋一輛家用汽車。

大力甲蟲

大力甲蟲是一種非常神奇的昆蟲，牠的身上有許多祕密，也有許多值得研究的地方。科學家研究了解，這種號稱世界上最強壯的生物竟然可以改變外殼顏色，而牠們的外殼結構組織對於人類的應用價值極大。

在南美洲雨林地區，如哥倫比亞、委內瑞拉、祕魯、厄瓜多爾、波利維亞與巴西等地，都有大力甲蟲的身影。牠們有著為世人所驚異的力量——可以輕而易舉地抬起是其體重的八百五十倍的物體，號稱世界上最強壯的生物。

不但如此，牠們還能夠改變自身外殼的顏色，可以隨著周圍環境濕度的變化而進行綠、黑互換。大力甲蟲的特殊才能讓科學家們進行了多年的研究。目前被應用於大力甲蟲外殼結構形態研究的技術儀器，包括了當今最新的三維掃描成像技術，並且經過多年的發展，這種技術已經能夠進入微小生物的體內並得到三維圖像了。

研究人員利用這種最新成像技術來研究這種甲蟲的外殼。透過電子顯微鏡的掃描來測試甲蟲對外部光的反應，以及分析光亮與甲蟲外層結構是如何相互作用的。他們對大力甲蟲的乾燥外殼標本進行測試，研究過程中發現，當外部光線照射於甲蟲外殼時，外殼會自動變成綠色。而當水分滲入甲蟲多孔的外殼時，外殼立即產生「衝突效應」，導致黑色素的產生。

　　然而，為什麼甲蟲會改變其外殼顏色呢，這個問題仍困擾著科學家們。部分研究人員認為甲蟲表皮顏色的改變與其自我保護功能有關。夜裡濕度大，甲蟲將其自身外殼顏色變為黑色，有利於融入夜晚環境。而另一部分研究人員認為顏色的改變與甲蟲夜晚熱量吸收有關。相關的實驗還在探索中，但是比利時科學家的研究解釋了這一現象的基本原理。其外殼的顏色改變與環境的濕度和光線有關。

　　那慕爾大學的研究人員表示，這種甲蟲結構特性是一種重要的「智能材料」。它可以廣泛應用於人類的實際生活中，例如濕度傳感器、食品處理工廠中的濕度等級監控工作中，其前景令人期待。

　　科學家表示將儘快弄清楚大力甲蟲外殼變色的原

理，希望早日用這一研究成果為人類造福。

相關連結

熱帶雨林

在地球赤道的南北兩邊，有幾片終年濕潤的土地，那裡氣候炎熱潮濕，雨水充沛，為植物的生長提供了非常優越的環境條件。在這些地區，茂密的森林終年常綠，宛如環繞地球的一條翡翠項鏈，這就是熱帶雨林。

陸棲哺乳類

非洲和亞洲的森林、叢林以及草原裡，生活著現存的世界上最大的陸棲動物——大象。

你可知道，傳說牠們能預知自己的死期，會在神祕的大象墳場中等待死亡？大象的墳場真的存在嗎？

在幾百年前，中國的塔里木河與瑪納斯河流域，曾生活著一種叫做新疆虎的老虎。

你可知道，新疆虎如今已經滅絕了？牠們為何滅絕？又是什麼時候滅絕的呢？

神農架野生動物之謎

神農架是北半球內陸地區為數不多的原始自然生態保存較為完好的地區之一。它處於大巴山與秦嶺的交會地，這裡山勢高峻，氣候溫涼。獨特而古老的地理氣候條件和出色的自然保護，使這裡成為許多動植物生息繁衍的樂園。

在神農架，有許多事物都令人稱奇，其中之一就是越來越多的白化動物。在神農架，人們發現許多平常認為應是其他顏色的動物，出現了白色或者說是白化的現象。

另外，這裡還有一些連專家也叫不上名字的怪異動物，這些動物為科學界增添了一個個難解之謎。

第一，白色動物之謎。神農架裡的白色動物之多，

堪稱世界森林之首。人們已經在這裡發現了白熊、白蛇、白金絲猴、白松鼠等二十多種白色動物，這些動物本來並不是白色的，可是到了這裡就都變成白色了。部分專家認為，白色動物其實是一種病態的白化，發生病變的原因與神農架裡特殊的地質、水貌、氣候和環境有關。至於具體是怎樣發生這種病變的，專家們還沒有找到答案。

第二，紅色動物之謎。神農架裡還生活著大量的紅色動物，目前已被發現的紅色動物有紅毛飛鼠、紅毛馬、紅色蝙蝠、紅色青蛙、紅蛇等十多種。這些動物不僅具有獨特的觀賞價值，更值得科學家們進行研究。

第三，野人之謎。在神農架林區，曾發生過目擊野人的事件一百多次。據目擊者稱，野人直立行走，有類似於人的五官，沒有尾巴。

第四，怪蛇之謎。二十世紀七〇年代，一位考察員發現了一件怪事。一天，他在神農架森林中發現一條蛇靜靜地趴在一塊石頭上。他折了根樹枝捅了那「蛇」一下，結果那「蛇」立刻變成許多小蟲子，足有好幾百隻，滿滿地趴在石塊上。可過了一會兒，這些小蟲子竟慢慢地合攏在一起，重新組成一條蛇，然後慢慢地爬走了。

後來，這位考察員又和同事一起看到，一條蛇突然「摔斷」了，分成了四、五節，但隨後這幾節都向其中一節靠攏，重新組合，居然又成為一條完整的蛇，並飛快地鑽入草叢中。

專家稱，這種動物是蛇，可又像蟲，具有神奇的分解組合能力，分解後成蟲，組合後又成為蛇，很可能是一種未被人們所認識的動物。

穿山甲怎樣捕食螞蟻

穿山甲常棲於丘陵雜樹林等潮濕地帶，屬夜行動物。牠們只在夜晚出來覓食，一旦聽到聲響，就立刻挖洞把自己隱藏起來。穿山甲擅長掘土。牠全身幾乎長滿了角質鱗，這種鱗片既可以在挖洞時發揮作用，又可以在逃避敵害時，當做鎧甲保護自己。

穿山甲是哺乳動物，主食蟻類，偶爾也吃蜜蜂等昆蟲的幼蟲。穿山甲的視覺和聽覺極差，只能靠嗅覺來尋找蟻穴。牠沒有牙齒，只有一條細長的舌頭，能從口中伸出來舔取食物。當穿山甲發現蟻穴後，便伸出像彎鈎一樣的利爪，將蟻群從穴中趕出。然後，牠再伸出細長的舌頭向蟻群橫掃過去，成百上千隻螞蟻便成為牠的腹中之物。食物進入胃中後，胃中的角質膜和吞進去的小沙粒共同發揮作用，將食物碾碎，從而進行消化。

白蟻的存在嚴重危害了農業、林業的發展，而穿山甲是白蟻的死對頭。一隻穿山甲一天就可以吃掉一千克

白蟻。而這一千克白蟻一天內能破壞一百五十三平方公里的山林。因此，穿山甲是森林的忠誠守護者。

穿山甲十分聰明，有時牠會設下圈套，讓螞蟻自動來送死。穿山甲先在蟻穴邊躺下裝死，並從牠張開的鱗片裡散發出一股腥氣，一陣陣飄向蟻穴。螞蟻們聞到氣味紛紛出洞，牠們把裝死的穿山甲當做豐盛大餐，蜂擁而上。這時，穿山甲便把全身肌肉緊縮，合攏鱗片，大部分螞蟻就被關在鱗片內。穿山甲帶著滿身螞蟻跳進池塘，將螞蟻抖落在水面上。然後，牠伸出舌頭細細品嚐牠的戰利品。不一會兒，水面上的螞蟻就被吃光了。利用這種方法，穿山甲不費吹灰之力就能捕食大量的螞蟻。

相關連結

森林的衛士

穿山甲的食量很大，一隻成年穿山甲的胃，可以容納五百克白蟻。據科學家觀察，在二百五十畝的林地中，只要有一隻成年穿山甲，白蟻就不會對森林造成危害。可見穿山甲在保護森林、堤壩，維護生態平衡等方面都有很大的作用。

野生麋鹿滅絕的原因

　　麋鹿是中國的特產動物，也是世界珍稀動物。因其頭似馬、角似鹿、尾似驢、蹄似牛而俗稱「四不像」。麋鹿的頸和背比較粗壯，四肢粗大，蹄子發達，適宜在沼澤地裡行走。麋鹿的尾巴較長，是鹿科動物中最長的，末端長有叢毛。母鹿無角，公鹿有角，而且角的形狀十分特殊。夏天麋鹿的毛呈棕紅色，冬天則變為灰棕色，幼崽毛色橘紅，並有白斑。根據大量化石和歷史資料推斷，野生麋鹿大概在一百五十多年前就消失了，但是透過放養，最終在中國重新建立了麋鹿的自然種群。

　　現生麋鹿被稱為達氏種，是一種僅限於第四紀中後期的動物，歷史上麋鹿的分布區西至山西的汾河流域，北至遼寧的康平，南到浙江餘姚，東到沿海平原及島嶼。到了晚更新世，麋鹿種群迅速發展，全新世中期達到鼎盛，但商周以後麋鹿迅速衰落。

　　原始人類由於人口密度低、生產力水平低，對麋鹿

構不成威脅，但商周以後，由於自然變遷、麋鹿自身的原因和人為干擾等因素，造成了麋鹿的不斷減少。

從自然因素看，由於麋鹿是一種喜愛溫暖濕潤的動物，而中國近五千年來的氣溫是在逐漸變冷，沼澤和水域也明顯減少，自然環境的變化對麋鹿有較大的影響。

從自身因素看，麋鹿是鹿類動物中較溫順的一種。據中國多年的飼養與觀察，發情期的公鹿不像梅花鹿、馬鹿、白唇鹿那樣攻擊人，而且佔群公鹿見到人接近就會立即逃跑。在哺乳期，人給幼崽打耳號、測量時，幼崽的叫聲只會吸引母鹿在遠處觀望，而不會為了保護幼崽而攻擊人。公鹿佔群後，其他公鹿窺視母鹿時，佔群公鹿僅用吼叫和追逐等方式趕走對方。以上這些特點決定了牠們逃避敵害的能力差，容易被天敵和人類捕殺。麋鹿食性狹窄也是其生存受到威脅的自身因素。另外，《彭祖服食經》、《本草綱目》及現代的《中醫方劑大辭典》中，用麋鹿茸、角、骨等做配方的方劑就有幾十項。麋鹿由此也就成為人類為治病而追殺的對象。

自然因素、麋鹿自身的因素是麋鹿分布區逐漸縮小、數量減少的原因，而人類活動的干擾是野外麋鹿走向滅絕的決定因素。

探索哺乳動物的復仇心理

我們都知道，人類有復仇心理。事實上，很多證據表明，除了人類之外，很多哺乳動物也有復仇心理。

在中國四川省的峨眉山，生活著一群活蹦亂跳的野生猴子，牠們給前來旅遊的人帶來了很多樂趣，但誰要是傷害了牠們，牠們就會記在心裡，藉機報復。有一天，一個小伙子在逗猴子玩時，被猴子抓破了手，他惱羞成怒，用一根拐杖把猴子打得「吱吱」亂叫，猴子拖著受傷的腿逃進了樹林。第二年，小伙子舊地重遊時，他的腿肚子突然間被什麼東西狠狠地咬了一下，他轉身一看，一隻跛著腿的猴子正一瘸一拐地往樹林裡跑呢。原來，這就是去年被他打傷的那隻猴子，這次是來報復他的。

無獨有偶，西雙版納的一個寨子曾遭到母象的復仇。有一天，一頭母象帶著一頭小象到寨子邊的河裡洗澡的時候，被寨子裡的幾個獵人發現了，他們舉起獵槍

就打，可憐的小象剛爬上河岸，就被打死了。母象狂怒起來，嘷叫著跑上岸來，用鼻子撫摸著小象的傷口，悲憤極了。牠一會兒又跑又跳，高聲咆哮；一會兒又用鼻子把小樹拱倒，直到精疲力竭時，才依依不捨地離開小象，一步一回頭地向密林深處走去。兩天以後，這頭母象帶著十幾頭大象狂奔而來。寨子裡的青壯年此時都到山上幹活去了，留在家裡的老人和孩子只好四處逃命。

最後，象群一古腦地把寨子裡的竹樓拱了個底兒朝天，然後大搖大擺地走進森林。

同樣，豹子也會報復。在印度就曾發生過豹子報復獵人的事件。當時，一位獵人上山打獵，將兩頭還在吃奶的小豹子打死了。母豹被激怒了。當獵人回家時，牠偷偷地跟在獵人身後，記住了他的住處。兩天後，豹子伺機叼走了獵人的孩子。三年後，那個獵人偶然在豹穴裡見到一個活著的男孩，仔細辨認，才發現這個「豹孩」就是他三年前被母豹叼走的兒子。

哺乳動物為什麼也會產生復仇心理呢？我們該如何解釋牠們的種種報復行為呢？對此，人類至今還沒有一個圓滿的解釋。

狗的「第六感」之謎

　　狗是人類最忠實的朋友，也是飼養率最高的寵物。牠們常常會表現出一些讓人們匪夷所思的行為。例如，牠們有的會沿著從來沒有走過的路線找到主人，有的能明白主人心裡在想什麼，有的似乎還能預感到自己主人的不幸和死亡。對於狗表現出來的某種超常感，人們稱之為狗的「第六感」。

　　曾經，有一位美國人帶著他的牧羊犬博比外出度假。結果，在度假途中，狗不小心走失了。讓人感到不可思議的是，這隻狗竟然經過六個月的長途跋涉，一瘸一拐地回到了牠所熟悉的家。人們得知博比的經歷後，紛紛讚揚牠的忠誠、勇敢、堅毅。

　　但同時，科學家們思考著這樣一個問題：遠在數千里外的博比是怎樣找到回家的方向和路徑的？因為據了解，當初牠的主人是駕駛汽車帶牠外出度假的，而牠的返程路線，卻與主人開車所走的路線不一樣。因此，說

牠是靠追蹤主人的氣味走上歸途的話，似乎說不通。於是，科學家們相信，博比是靠著某種特殊的能力和感覺找到回家的路的，這種感覺絕不是人類已知的那些犬類感覺。

同樣發生在美國的一件事，是關於一隻叫做安東尼的小狗的。牠能與主人進行交流，而牠交流的方式就是吠。

有一次，女主人讓安東尼猜一位客人的年齡。客人將自己的年齡寫在紙上，數字是三十三，可是，安東尼卻吠了三十六聲。女主人告訴牠猜錯了，讓牠再試一次，可第二次牠還是吠了三十六聲。客人對此大吃一驚。最後，他難為情地對女主人說：「安東尼猜對了，我的確是三十六歲，寫在紙上的數字是錯的。」

據說，英國一位業餘考古學家在埃及帝王谷考察時，不幸遇難。就在他死去的那一刻，在他遙遠的家鄉，他的愛犬也突然哀號不止，接著便倒地而死。

以上這些事件是不是就是狗的「第六感」在起作用呢？這種「第六感」到底是怎麼回事？它是如何起作用的呢？這些問題也正是很多科學家正在研究的課題。

對人類的忠誠

狗對主人的忠誠度，從情感基礎上看，有兩個來源：一、是對母親的依賴和信任；二、是對群體領袖的服從度。

從血統角度來看，現代家狗可分為兩類：胡狼血統與狼種血統。胡狼血統狗之忠誠，主要與第一個情感來源相聯繫，即出於對母親的依戀、信賴。狼種血統狗之忠誠，主要與第二個情感來源相聯繫，即出於對狗之群體領袖的忠敬、服從。

為何大象死不見屍

　　大象是群居性動物，以家族為單位，由母象做首領。牠們在哺乳動物中，屬於最長壽的，據說牠們通常能活六十歲至七十歲。傳說，大象能預知自己的死期。當牠們大限將至時，就會偷偷離開象群，獨自隱藏到密林幽谷中的大象墳場中，在那裡等待死亡的來臨。

　　根據這些傳說來看，大象在密林幽谷中擁有自己的墳墓，那麼，墳場中必然會有許多象牙、象骨。也正是由於象牙的珍貴和傳說的流傳，讓許多夢想著發財的人，紛紛前往密林幽谷，四處尋找大象的墳場。

　　曾經，有兩位蘇聯探險家前往非洲肯尼亞去尋覓過大象的墳場。他們在尋覓的過程中遇見了一位當地的酋長。酋長告訴他們，他曾經因為迷路而無意中走到了一個白骨累累的巖洞裡。從骨架的大小和形狀來看，應該是大象留下的。他還親眼看見一頭大象走進來，倒在地上死去了。於是，這兩位探險家便按照酋長指點的方向

去尋找，果然看見了一個堆滿大象屍骨的山谷。他們堅信，自己所到的這個地方就是傳說中的大象墳場。

並不是所有人都相信大象墳場的說法，也有許多學者堅決否定它的存在。因為二十世紀二〇年代就曾發生過這樣的慘劇：一群大象遭到歐洲探險者們的重重圍獵，不巧又遇上森林大火，整個象群無一倖免。探險者們卻因此得到了大批象牙。為掩人耳目，他們就捏造了發現大象墳場的故事。所以，一些學者認為所謂的大象墳場只是某些偷獵者為掩蓋罪行而編出來的謊言。

然而，人們的確沒有見到過自然死亡的大象屍體。有些動物學家聲稱，他們曾經目睹過大象的葬禮。象群在死去的同伴周圍圍成一圈進行哀悼，然後用長牙挖出深坑，將死去的大象推入坑中，再用鼻子捲起石頭將屍體掩埋起來。值得一提的是，那些被埋葬的大都是母象或幼象的屍體，而長著珍貴象牙的老公象的屍體從來沒被發現過。它們究竟在哪裡呢？有人猜測說，那些老公象臨死前都會去沼澤地，所以人們無法發現牠們的屍體。

傳說中的大象墳場究竟存不存在，它真的只是某些偷獵者編出來的謊言嗎？為什麼人們沒有見過自然死亡的老公象的屍體？這些問題都有待科學家們找出答案。

「汗血寶馬」之謎

牠是傳說中的神奇寶馬，據說牠日行千里，流汗如血，眾多王公貴族為牠一擲千金，漢武帝更不惜為牠勞師遠征……中國人稱牠為「汗血寶馬」，而牠的故鄉土庫曼斯坦則稱牠為「阿哈爾捷金馬」，並將牠奉為國寶。

相傳汗血寶馬在奔跑時，其頸部上方會流出像鮮血一樣的汗水。那麼，科學家們是怎樣解釋這一奇特現象的呢？

血漿滲透

有的專家認為，馬在高速奔跑時，其體內血液的溫度可以達到四十五℃左右，但牠頭部的溫度卻與平時一樣，保持在四十℃左右。汗血寶馬的毛細血管非常發達，在牠疾速奔跑之後，血液溫度隨之升高約五℃，這樣就極有可能使少量的紅色血漿從細小的毛孔中滲出，產生所謂的「汗血」現象。

寄生蟲導致

另一些專家則認為，汗血寶馬的「汗血」現象是受到寄生蟲的影響。他們猜測有一種寄生蟲鑽入了馬皮內，這種寄生蟲尤其喜歡寄生於馬的臀部和背部，因而在兩個小時之內馬皮上就會出現往外滲血的小包。不過，究竟是哪種寄生蟲讓汗血寶馬出現「汗血」的，至今無人知曉。

視覺誤差

南京農業大學的一位教授則認為「寄生蟲」之說很難成立。他認為，「流汗如血」也許僅是一種文學上的形容。馬出汗時往往先潮後濕，對於擁有棗紅色或栗色毛的馬，出汗後局部顏色會顯得更加鮮豔，給人感覺像是在流血。而馬的肩膀和脖子是汗腺發達的地方。這就可以解釋，為什麼汗血寶馬在疾速奔跑後，肩膀和脖子處會流出像血一樣鮮紅的汗。

雖然專家們對於汗血寶馬的「汗血」現象各執己見，但直到今天也沒有一種解釋能讓所有的人都信服。

老虎、獅子誰厲害

　　世人公認的兩種最厲害的貓科動物是獅子和老虎。但是牠們相比哪個更厲害一些呢？這個問題大家都感興趣，而且眾說紛紜。

　　世界上現存的老虎有許多亞種，比如華南虎、東北虎、孟加拉虎、蘇門答臘虎、印支虎等。其中東北虎最大，成年雄虎體長可達三點三公尺，體重在三百千克以上。所以論體型，老虎是最大的貓科動物。

　　目前獅子只有兩個主要亞種：非洲獅和印度獅。其中印度獅體型較小，且數量已幾近滅絕，我們常見到的是非洲獅。成年非洲公獅一般體長在二公尺至二‧七公尺，體重在二百二十千克左右。

　　由於動物的體型通常決定了牠們的力量，所以成年東北虎的力量絕對勝過大多數非洲獅。

　　從外形而論，牠們都有鋒利的牙齒，牠們共同的特點是有強大的領、裂齒，在咬合的時候能產生巨大的力

量，而這巨大的力量可以用來殺死大型的動物。而細細論來，獅子尤其是雄獅，其頭臉由於誇張的鬃毛，身段反而顯得單薄；老虎的體魄雄渾，頭面卻稍嫌精巧。非洲公獅看上去十分威猛，全因那一團鬃毛的緣故，所以視覺上頭特別大；而威猛的老虎成年後顏面頸脖處也會生出長毫，外形不輸給公獅。

從個體捕獵技能上來看，老虎力量、速度兼備，能上樹、游泳，單獨捕獵成功率很高；而獅子的捕獵技能比較差，耐力、速度也都缺乏，而且牠們通常是群體作戰，母獅的效率大大高於公獅。

中國科學家在解剖東北虎的時候，發現牠的肌肉比最好的健美運動員的肌肉還要好看，還要結實。牠的肌纖維極粗，渾身上下很少能找到多餘的脂肪，甚至很難

見到脂肪；強壯的骨骼附有強大的肌肉，證明這種動物具有極強的爆發力。虎的爆發力有過實證，在北京動物園獅虎山獸舍的水泥地面上有一道被東北虎抓裂的裂痕。剝掉皮的獅子與老虎驚人地相似，但從解剖中發現，老虎心臟的容量大於非洲獅。

地理環境的差異，決定了獅子與老虎不同的戰鬥風格和作戰策略。廣袤的平原上，適合發揮群體的力量，鎖定目標，以逸待勞。而叢林中，獵物容易閃避、躲藏和逃逸，對個體的搏擊技能要求更高。因此，獅子是戰略家，老虎是戰術家。

由於獅子、老虎不在同一地域環境中生活，似乎很難進行較量，就像相聲裡說的關公戰秦瓊。在西方，獅子向來有獸王之稱；而在中國，獸中之王則是老虎。據說在古羅馬時代，人們曾讓獅子和老虎在競技場中進行格鬥表演，結果，每次都是老虎戰勝了獅子。曾經，蘇聯科學家做了一個試驗，讓兩隻同性同體型的成年飢餓的獅虎相鬥，結果老虎勝出。有的地理學家和動物學家提出：中國雲南一帶遠古時期也有獅子，但為何現在銷聲匿跡了呢？據說是老虎用虎威將獅子逐出了生活條件舒適、優越的山林，將其趕到印度西北部、阿拉伯半島

和非洲的荒漠、草原上去飽嚐顛沛流離之苦。

相關連結

在玩耍中學習

　　虎的高超本領都是從玩耍中獲得的。小虎在一起總是好動、好玩，虎媽媽也會陪伴牠們嬉鬧，並帶活的動物回來訓練牠們的捕食能力。小虎必須從撲打追咬的遊戲中學習捕獵技巧。

新疆虎之謎

在中國，除了東北虎、華南虎、孟加拉虎和印支虎外，原本還有一個虎種——新疆虎。幾百年前，牠們無憂無慮地生活在水草豐茂、森林茂密的塔里木河與瑪納斯河流域。但自從一九一六年有人最後一次看見過新疆虎後，就再也沒有人發現過牠們的踪跡。

一九七九年，在印度召開的保護老虎國際會議正式宣佈，新疆虎已於一九一六年滅絕。新疆虎真的是在一九一六年滅絕的嗎？事實上，時至今日，人們對於新疆虎是如何滅絕的，以及滅絕的時間等問題，都沒有確切的答案。

猜測一：小小螞蟻殺死萬獸之王

一八九六年和一八九九年，瑞典探險家斯文・安德斯・赫定先後兩次來到位於新疆維吾爾自治區塔里木盆地東部的羅布泊地區探險。在第二次探險中，他親眼見到了新疆虎。然而，斯文・安德斯・赫定當時發現的新疆

虎並不像俄國軍官普爾熱瓦爾斯基在二十年前描述的那樣——像狼一樣多。那麼，導致新疆虎迅猛減少的原因是什麼呢？

當地人告訴斯文・安德斯・赫定，那裡有一種螞蟻，以虎崽的胎膜為食。這種螞蟻數量龐大，致使新疆虎的成活率急速下降。斯文・安德斯・赫定對這種說法深信不疑，因為新疆虎一般在每年的十一月至第二年二月發情，發情期和孕期在一百天至一百二十天，所以虎崽一般出生於每年的四月至六月。而此時天氣轉暖，正是螞蟻的活躍期。曾數次進入塔里木地區考察的中國研究員也證實了這一點——那裡的螞蟻比一般螞蟻個頭大，且顏色奇異。牠們一旦發現動物的屍體或剛出生的幼崽，便會蜂擁而至，瞬間將其分解。

猜測二：死於人類獵殺和生存環境的惡化

斯文・安德斯・赫定在第二次探險時，記錄了當地人捕殺老虎的方法。據他描述，羅布泊地區有獵虎的習俗，而且方法多種多樣：第一種是毒殺。獵人把一種叫做馬錢子的毒藥抹在誘餌上，老虎吃後就會中毒而亡。第二種是圍獵。獵人佔據有利地形，擺好陣勢，待虎出

現。老虎出現後，一些人高聲吶喊，使老虎驚慌，射擊手這時就趁機射擊，或者將老虎追逼到四面環水的蘆葦叢中，進行圍獵。第三種是在寒冷的冬天將老虎趕進冰水裡，然後駕小舟追趕，待老虎精疲力竭後，將其打死。

專家稱老虎得以生存必須具備三個條件：足夠大的活動範圍、豐富的食物和能藏身的密林。而上世紀初期，新疆人口急劇增加，人們開始大量砍伐森林，開墾農田，一步步侵佔了新疆虎的生存空間。因此，有專家認為，正是人類無限制的獵殺，加上生存環境被破壞，導致了新疆虎的滅絕。

滅絕時間之爭

新疆虎真的是在一九一六年滅絕的嗎？斯文·安德斯·赫定在一九三四年第三次來塔里木地區做實地調查時，那裡所有的人都說已經有二三十年未曾見過新疆虎了。只有一個人說在十多年前，看見一隻老得不能再老的新疆虎沿著塔里木河朝上游走去。由此，人們推測新疆虎滅絕的時間大約為一九一六年。這一推斷與另一位德國探險家在新疆實地考察後得出的結論大致相同。

不過，後來又有人說，二十世紀四〇年代，一位蘇

聯探險家在新疆獵走了一隻老虎。經考證，那應該是最後一隻新疆虎。

到了一九八三年，又有報導稱，塔城軍分區某邊防站的一位戰士親眼看到過一位牧民獵獲了一隻新疆虎。

新疆虎究竟是何時滅亡的？又是什麼原因導致牠滅亡的？專家們仍在進一步調查研究中。

 **相關連結**

樓蘭與新疆虎

一九〇〇年三月二十八日，瑞典探險家斯文‧安德斯‧赫定在中國西北新疆境內首先發現了消失了幾個世紀的樓蘭古蹟，同時還發現了新疆虎。他的這一發現說明原來這裡水草豐茂，森林茂密，因為有虎的地方必定有大片的森林、大量的食草動物和充足的水源。

赤狐「殺過行為」探祕

赤狐是最大、最常見的狐狸，牠們總在夜間活動。赤狐非常狡猾，不僅能夠避開獵人挖的陷阱和捕獸工具，還會透過裝死的方法來誘捕水鳥。當食物不足時，赤狐偶爾也會跑到附近的村子裡去偷雞、偷鴨。牠們的這種行為已經夠可惡的了，然而，更為可惡，同時也令人不解的是牠們的「殺過行為」。

「殺過行為」是指一些凶殘的肉食性動物，一次殺死遠遠超過自己食量的獵物的行為。「殺過行為」明顯違背了動物捕獵是為了食物需要的法則。那麼，「殺過行為」背後的動機究竟是什麼呢？

為了對此進行研究，荷蘭動物行為學家亨利博士曾在農舍守夜觀察。他看到一隻赤狐跳進雞舍，在大約十分鐘的時間內，便把十幾隻小雞全部咬死，最後只銜走了一隻。赤狐還常常在風雨交加的夜晚，闖入黑頭鷗的棲息地，將數十隻黑頭鷗逐個咬死。但是，牠竟然一隻

都不吃，空「手」而歸。更令人不解的是，亨利博士發現，黑頭鷗在夜間，尤其是在風雨交加的夜晚，都蹲在地上一動不動，任憑赤狐撕咬。

對於赤狐的「殺過行為」，目前科學家們的解釋不一。有的認為，赤狐作為一種凶猛的肉食性動物，「殺過」是其殘忍本性的一種體現，牠們殘忍的本性決定了牠們不會放過任何一個獵物。

有的認為，赤狐的「殺過行為」只是偶然現象，並非每次捕獵都有「殺過行為」，可能是由於牠們接近獵物時，被捕殺的動物驚慌失措，四處奔逃，激起了牠們的野性，於是才大開殺戒的。

然而，較多的科學家認為，「殺過」的成因不能一概而論，應該具體問題具體分析。

以上對赤狐「殺過行為」原因的解釋，都屬於推測性的，缺乏科學的論證。「殺過行為」背後真正的原因到底是什麼呢？終有一天，這個謎團會被人類破解。

探索獵豹的世界

在非洲的草原上，生存著世界上奔跑速度最快的動物——獵豹。在大多數人的眼中，獵豹是速度與力量、強悍與勇猛的代名詞。其實大家的認識並不全面。

獵豹確實是陸地上奔跑速度最快的動物，也是貓科動物成員中歷史最久、最獨特和特異化的品種。全速奔馳的獵豹，時速可以超過一百一十公里，相當於世界一百公尺冠軍的三倍快。

獵豹並不是人們想像的那樣強悍。在大草原上，百分之六十的獵物都是獵豹捕捉的，但是只有很少一點能讓獵豹享用。鬣狗、野狗、禿鷲，甚至是狐狸只要達到一定數量，獵豹就不得不放棄辛辛苦苦捕到的獵物，立刻離開。為什麼會有這樣的事情發生呢？為什麼獵豹如此膽小呢？

與其他貓科動物不同，獵豹體型纖瘦，腿細而長，被稱為貓科中的灰狗。牠的侵略性不強，生存依賴速度，而非打鬥，所以牠的爪較小、牙齒短，付出這樣的代價就是為了提高速度。但是獵豹在高速奔跑的時候，身體溫度快速上升。當上升到一定水平時，獵豹必須停止奔跑，不然就會因為體溫太高而喪命。所以，獵豹在狩獵時，需要潛近獵物周圍大約四十多公尺的地方發起衝擊，才能有較高的勝算。如果在一定的時間內追不上獵物，牠就會主動放棄眼看就要到手的獵物。

另外，因為是依靠高速捕獵，獵豹一旦受傷，必定影響奔跑速度。而牠沒有一絲贅肉的身體，根本支撐不到恢復可以捕獵的時日。所以，獵豹在遇到其他肉食性動物的時候，會選擇將捕到的獵物拱手相讓，不讓自己輕易受傷。

完美的獵手

　　豹有矯健的身材，牠的動作十分靈活，它奔跑的時速最高可達一百一十三公里。豹的體能極強，視覺和嗅覺靈敏異常，性情機警，隱蔽性強，既會游泳，又善於爬樹。這些都是老虎、獅子辦不到的，所以豹可以稱得上是完美的獵手。

探索犀牛的祕密

犀牛是陸地上體型僅次於大象的第二大哺乳動物。犀牛模樣有點像牛，身軀粗壯而龐大。牠們頸部很寬，四肢粗短，好像四根柱子支撐著牠們桶狀的身體。犀牛的角和一般有角動物的角不同，它不是長在頭的兩側，而是長在鼻梁的正中線上，一般是一個或兩個。

犀牛為什麼不怕刺

犀牛是唯一可以穿越大片荊棘叢而不會感到明顯不適的動物。這是因為牠們粗厚的表皮，可以抵擋十分尖銳的刺。牠們的牙齒和消化系統也很厲害，能毫不費力地將十公分長的尖刺磨碎，吞進腹中。

為什麼犀牛愛穿「泥衣」

犀牛有一個古怪的習慣，就是每天都會去池沼或泥塘中洗澡。牠們在泥水中翻滾攪動，從而使全身塗上一

層厚厚的泥漿，而且塗一次曬一次太陽，直到「泥衣」有〇點六公分至〇點九公分厚為止。這是因為犀牛皮雖然厚實，但體表褶縫裡的肌膚十分嬌嫩，而且血管和神經分布豐富，熱帶的吸血昆蟲非常厲害，專愛鑽進這些皮褶皺間叮咬，弄得牠們又癢又疼。據科學家研究證明，熱血動物在水浴之後，皮膚的血管會擴張得比平時更厲害，並且會產生一種能招致吸血昆蟲的氣味，所以大犀牛出浴後，會遇到更多的吸血昆蟲，而泥衣正好起到保護的作用，並且還可以遮擋陽光的曝曬。

 相關連結

犀牛的種類

現今世界上共有五種犀牛，即白犀牛、黑犀牛、印度犀牛、爪哇犀牛、蘇門答臘犀牛。但是由於人們的肆意捕殺，犀牛的數量急劇下降，所以現今五種犀牛都被列入珍稀瀕危動物的行列。

了解狼的生活

狼給人的印象往往是凶殘、貪婪的。可是，事實真的如此嗎？其實不然。

狼群通常由五隻~十二隻狼組成，到了冬季最寒冷的時候，狼群的數量甚至可以擴大到四十隻。每個狼群都有自己特定的活動範圍，群體之間的「勢力範圍」不重疊。牠們的團隊協作精神非常強，幾乎每次的捕獵都是集體合作完成的。單獨行動的狼甚至不能獵殺大型植食性動物。在狼的世界裡，首領是整個家族的統治者，牠的權力是至高無上的。首領負責給狼群中的成員分配「工作」，指揮狼群捕獵，最後完成食物的分配。

狼愛護孩子在動物世界裡是出了名的。狼寶寶出生後，要在洞穴裡待一段日子。這時，狼媽媽在家中照顧狼寶寶，狼爸爸就負責外出捕食。狼爸爸把獵物咬成碎片，吃到肚子裡，回「家」後再吐出來餵給小狼。不僅是父母，就連族群當中的其他成員也會把小

狼視為「掌上明珠」，幫助小狼的父母照顧小狼。

狼是懂得團結合作、愛護子女的動物。

說到狼，人們對牠們夜間嚎叫的原因也十分好奇。那麼牠們為什麼會在夜間嚎叫呢？有關資料提到：狼和其他動物一樣，也是透過叫聲來傳遞信息的。例如，公狼嚎叫呼喚母狼，母狼發出叫聲來呼喚小狼，透過相互嚎叫而集群。在繁殖期，狼也常發出嚎叫聲來尋找配偶。在養育幼狼時，除了母狼會發出叫聲外，幼狼在餓的時候也會發出尖細的叫聲。而且，狼白天喜歡躲在隱蔽處休息，直到夜晚才出來活動。所以天黑後，飢餓的狼就會嚎叫著集群外出尋找食物，而且每個個體間傳遞信息時，發出的嚎叫，都是在晚上進行的。因此，人們常常在夜深人靜的山區聽到狼嚎。

 **相關連結**

生存地

狼的足跡曾經遍布全世界，但如今牠們已紛紛倒在人類的屠刀下，只有亞洲、歐洲和北美洲的小部分地區還可以見到牠們的身影。

動物禁圈之謎

　　《西遊記》中的一回裡，孫悟空為了保證師父的安全，在去找食物之前，用金箍棒畫了一個圈將唐僧等人圈在其中。這樣，所有的妖魔鬼怪、豺狼虎豹便被擋在了圈外。其實，這種神奇的禁圈並不完全是虛構的，在中國東北有一種珍稀動物──貂熊，牠就具有這種本領。

　　貂熊身長一公尺左右，尾部像貂，頭部像熊，屁股上有臭腺，能發出特殊氣味。當牠捕食時，只要用自己的尿液在地上畫一個圈將獵物圈起來，獵物很快就會喪

失行動能力，乖乖地待在圈子裡，等著貂熊把自己吃掉。憑藉著這一祕密武器，貂熊甚至能捕捉到鹿和獐子等體型高大、善於奔跑的動物。更奇怪的是，就算是豹子、豺等更為凶猛的肉食性動物，也只能在圈外徘徊，不敢越雷池一步，這究竟是怎麼一回事呢？

有人認為這是因為貂熊生性凶猛，在自然界幾乎沒有天敵，小動物知道一旦被牠逮住就沒有逃生的可能，而像豹子這類猛獸也自知不是貂熊對手，所以，牠們一聞到貂熊尿液的氣味，要麼束手就擒，要麼知趣避開。但貂熊真的有這麼厲害嗎？

眾所周知，弱小動物即使是碰到百獸之王老虎，求生的本能也會促使牠們奔跑逃命，所以由於害怕而「束手就擒」的說法並不成立。於是有人猜測，可能是貂熊的尿液裡含有某種特殊的麻醉成分，能麻痺動物的中樞神經。然而科學家們至今也沒能從其尿液中找到這種特殊的麻醉成分。尿液中的麻醉成分究竟存不存在？或者是另有原因？

除了貂熊以外，人們還發現黃鼠狼、田螺也都能「畫地為牢」，捕獵食物。而且，牠們的本領似乎更為高強，只是繞獵物一圈就能使獵物無法動彈。這又是怎

麼一回事呢？

目前，關於動物「禁圈」之謎，科學家們尚在探索中。

相關連結

貪吃的貂熊

貂熊特別貪吃，所以牠的拉丁學名的原意就是「貪吃」。牠什麼都吃，包括馴鹿、馬鹿一類大型植食性動物的雌獸和幼崽，有時還捕捉狐狸、野貓一類的肉食性動物為食。

動物預報地震之謎

　　人們發現，大地震發生之前，有許多動物都會有異常反應。

　　一九七六年唐山大地震的前一天，灤縣王東莊的村民在棉花地裡看到大老鼠叼著小老鼠跑，小老鼠依序咬著尾巴，排成一串跟著。此外，有一條狗在地震前的那天夜裡就是不讓主人睡覺。主人一躺下，牠就進屋來叫；主人把牠趕跑，牠又叫著進房，甚至還咬了主人一口，主人很生氣，拿起棍子追出門外，緊接著大地震就發生了。

　　一九七五年初冬，遼寧省海城發生大地震前，大量的蛇、老鼠等動物煩躁不安地從洞中鑽出，紛紛外逃。地震部門根據這些動物對地震感覺靈敏的特點，作出了準確的預報。於是，當地政府在震前挨家挨戶動員群眾到廣場看電影，創造了大地震幾乎無傷亡的奇蹟。

　　類似的例子還有很多。人們不禁要問，為什麼動物能夠預報地震呢？科學家們對此做出了以下幾種猜測。

對於地震聲波的感受

眾所周知，地震前會有異常地聲。近年來的實驗研究和現場觀測發現，這種地聲是由震源區的巖石破裂而發出的，人的耳朵感受不到，但有些動物卻對這些聲波反應相當靈敏。當牠們接收到地震前發出的這些異常聲波以後，就會本能地變得躁動不安，行為反常。

帶電微粒對動物的刺激

外國科學家透過研究認為，地震前地層深處壓力增大，會使地下水分解，並產生一種帶正電的微粒。這些微粒從地殼的裂縫中升到地面，瀰漫到空氣中，能使動物體內產生一種特殊的激素，刺激動物的中樞神經，使動物出現反常行為。這種看法還為我們解開了另一個謎——為什麼動物對某些地震預感強烈，而對另一些地震卻毫無反應。科學家解釋，如果地震前天氣突變，如突然下大雨颳大風，帶電微粒就會消失。動物接觸不到這些帶電微粒，自然也就無法對地震作出「預報」了。

對於為什麼動物能夠預報地震這個問題，人們尚在探索之中。

浣熊為何洗食物

浣熊的毛很長，眼睛周圍是黑色的，看起來好像戴著面具。浣熊擅長爬樹，大多在夜間活動，利用視覺和靈敏的嗅覺來覓食。牠們的爪子很靈活，能夠拾東西或抓東西。

在動物園裡，我們常常看到浣熊在吃食物之前，總喜歡把食物放到水裡洗洗再吃，似乎很愛乾淨。其實生活在大自然中的浣熊並不洗什麼東西。

浣熊之所以會有這個行為，是因為小浣熊稍大一些的時候，浣熊媽媽會把牠們領到淺水中，學習摸魚的技巧。有時牠們還會像媽媽一樣，用腳在淺水裡踏一個坑，將魚趕進去，然後捉魚吃。小浣熊就是這樣慢慢學會捕獵的。

然而，到了動物園裡，浣熊沒有了自由，也沒有機會去水中獵食蝦、魚和蛙，牠們「英雄無用武之地」，這才模仿「在水裡獵食」的動作。而這一動作看起來好像是在洗食物，所以被人類誤認為牠們是愛乾淨的動物。

 **相關連結**

「小強盜」

浣熊非常適應有人類陪伴的生活。在美洲的城鎮裡，牠們常常在夜裡出來偷吃垃圾箱裡廢棄的食物，有時還會闖入居民家中，擅自打開冰箱，偷吃主人的美食。因此人們把浣熊叫做「小強盜」。

黑猩猩為何吃土

　　黑猩猩的食性十分普遍，牠們會利用不同的方法來取食不同的食物。牠們會利用舔滿口水的細枝來粘螞蟻，還會利用兩塊石器敲開果實。但讓人感到驚奇的是，黑猩猩還會就著樹葉吃土，這引起了科學家們的注意。為此，科學家們進行了一系列的研究，來探尋這一行為的意義。

　　根據研究發現，黑猩猩吃土很可能是為了健康著想。這一行為有助於激活所吃植物的抗瘧疾效果。土壤中含有多種稀有礦物質，可以抵禦痢疾、吸收毒素、促進消化。而這項最新的研究表明，土壤還能夠激發出食物的藥物性質。

　　也有人發現，黑猩猩吃土多是在食用一種植物的葉子之前或者之後，而這種葉片中就包含有新型抗瘧疾化合物。所以，據此可以了解到黑猩猩是具有自我治療的本事的。

科學家們組成了一個研究小組，他們收集了十四個與黑猩猩吃掉的土壤相類似的樣品，以及相同地域的葉片，透過實驗模擬並重複了咀嚼和消化過程。研究人員分別測試了土壤、樹葉以及土壤和樹葉混合物，對抗藥性瘧原蟲系的效果。結果發現，只有土壤和樹葉的混合物有明顯的抗瘧疾活性。

　　此外，該小組還利用高效液相色譜法研究了相關樣品，結果表明，將葉片與黏土混合會減少葉片中生物活性物質的總量，這或許是因為其中的一些物質與土壤顆粒發生了緊密結合。

　　科學家認為，可能是抗瘧疾物質比葉片中其他物質與黏土的結合性更弱，所以它在土壤和樹葉混合物中的濃度更高。但由於該小組並未分離出這種抗瘧疾化合物，所以無法證實這一點。

　　有人認為，這還可能存在另一種機制，即葉片與土壤發生的反應激活了抗瘧疾物質。要確定究竟是怎麼一回事，可能還要做進一步的調查研究。

探索灰熊的祕密

在美國有一種野生的灰熊。為了揭開牠的冬眠之謎，美國的葛萊德兄弟組織了一支考察隊，來到灰熊出沒的地方。

這支考察隊包括生物、醫學和物理等方面的科學家。他們配備了精良的儀器，並且利用生物無線電遠程觀察技術對灰熊進行觀察。他們先在灰熊經常出沒的地方挖一些陷阱，在捉到灰熊以後，用麻醉彈將灰熊迷昏後，把編有號碼的塑膠標杆插進熊耳朵裡，接著就給牠們稱體重、量身高，最後再給牠套上一個塑膠圈。這個塑膠圈裡裝有微型無線電發報機，能發出各種無線電信號來。

等這些被俘虜過的灰熊醒來的時候，牠們已經被放

歸大自然了。牠們脖子上的塑膠圈會發出各種信號，考察隊員根據這些信號，就能觀察到牠們的一舉一動。

當冬天來臨，天氣變冷的時候，灰熊就開始做過冬的準備了。

灰熊很講究，去年過冬的舊洞牠們不會再用了，必須挖新的。於是，牠們會在北面的山坡上和峽谷絕壁的大樹下選擇地方，開始挖新的洞穴。新居建成以後，再往裡面鋪上一些松樹枝，保證冬眠的時候能夠睡得更舒服。

越冬的洞穴挖成以後，灰熊們就開始懶洋洋地在原野上散步。牠們開始離開獵食地，獨自向深山老林中走去。

過了一段時間後，科學家們透過熊脖子上塑膠圈裡發出的信號，發現灰熊的新陳代謝變慢了，這是冬眠的第一個跡象。這時，牠們會搖搖晃晃地迎風前進，穿過落滿樹葉的叢林，找到不久前挖好的洞穴，等大雪紛飛的時候，牠們就鑽進洞裡，開始昏睡起來。這時候，熊的體溫下降，心跳和呼吸減慢，冬眠開始了。

這就是科學家們經過多年考察了解到的灰熊的一些生活內幕。

　　還有一年冬天，暴風雪來臨後，一隻灰熊來到了峽谷地區——牠冬眠的洞穴所在處。考察隊的科學家估計，灰熊該進洞了，沒想到，牠來到洞穴跟前，卻沒有進洞，灰熊好像覺得還不是冬眠的時候，於是繼續修牠冬眠的洞穴。過幾天，太陽出來了。天氣轉暖，地上的積雪融化了。不久以後，又一場風雪降臨了。於是，科學家們就接到有節奏的信號，這些信號是這隻被跟踪的灰熊身上發出的，表示牠已經冬眠了。

　　科學家們研究的大量資料表明，灰熊身上有一種神祕的「生物鐘」。灰熊還有一套察覺地球「脈搏」的本領，這些「脈搏」包括氣溫、氣壓、降雪……等等，這些因素能調撥灰熊的「生物鐘」。當天氣變冷的時候，生物鐘敲起第一次「鐘聲」，灰熊懶洋洋地打著哈欠，開始挖洞，準備冬眠；當第二次「鐘聲」敲響的時候，灰熊就獨自活動了，牠漫步山林，可是不馬上進洞；等到第三次「鐘聲」響過之後，灰熊才鑽進洞裡，開始冬眠。

　　讓人迷惑不解的是，第一次大雪以後，灰熊為什麼不進洞呢？牠是怎麼知道地球的「脈搏」的呢？這還是一個無法解開的謎。

睡鼠為何愛睡大覺

　　一年中，睡鼠有半年的時間都在窩裡冬眠，即使不冬眠，牠們白天也在呼呼大睡，在夜裡才會行動，因此，人們很少見到牠們。牠們不像其他的嚙齒類動物那樣儲存食物過冬，而是儘量地多吃東西，以儲存脂肪過冬。秋天到了，睡鼠會用樹葉、雜草在地上做個窩，為冬眠做準備。牠們的窩很隱蔽，多在樹根之間、岩石縫裡或灌木叢中。冬眠時，睡鼠不吃不喝，全身蜷成一個小圓球，呼吸幾乎停止，身體變得僵硬，外界的任何聲響都不會吵醒牠們。

　　為什麼睡鼠會有這樣奇特的冬眠呢？又是什麼造成這種現象的呢？科學家們對此作出了解釋：睡鼠的冬眠主要是受環境溫度的降低、食物不足這兩種外界刺激所致。科學家們透過研究睡鼠在冬眠時的生理反應，發現只要環境溫度降到使睡鼠的直腸溫度低於三十二點五℃時，牠們就會進入冬眠狀態。同時，由於睡鼠的熱量主

要來自於食物，所以，一旦食物不足，牠們就難以維持正常的體溫，因此，當食物不足的寒冬來臨時，牠們就會透過冬眠的方式來度過。

可是，卻有一些人反對以上的兩種說法。因為，睡鼠通常一睡就是半年甚至九個月，在此期間，環境溫度並不是一成不變的。當冬天過去，氣溫慢慢回升的時候，睡鼠為什麼還在睡覺？同樣，就算是由於冬天食物匱乏，睡鼠要透過冬眠的方式來度過嚴冬，但為什麼在春暖花開，食物慢慢豐富，其他冬眠的動物都陸陸續續醒來的時候，睡鼠還要繼續呼呼大睡呢？

另外，即使是在夏天，睡鼠也隨時會打盹。睡鼠為什麼如此貪睡？牠們體內是否有某種物質在影響著這一切？對此，科學家們還沒有找到答案。

 **相關連結**

睡鼠的分布

睡鼠別名林睡鼠，共有七屬十五種。牠們分布較廣，西起英國，東到日本，北自瑞典，南到非洲南部和印度。在中國有二屬二種：即睡鼠和四川毛尾睡鼠。

探究黃鼠狼的思維

　　長期以來，動物學家們一直為動物有沒有思維的問題爭論不休。有些動物學家認為，人與動物的重要區別之一，在於人具有思維和語言的能力，而低級動物是自發性的行為，沒有思維能力，缺少自我意識。但有些動物學家卻不同意上述觀點。他們舉了這樣一個例子：

　　在天津靜海縣王口鎮，村民董某等人由於發現田間

有黃鼠狼出沒，便想設計捕捉黃鼠狼。經過一番商議，他們準備了許多棒夾，埋設在土裡，然後又買了許多鮮肉，佈在田裡，以此來引誘黃鼠狼上當。佈置好了這一切，他們以為萬無一失了，便各自回家了。

沒想到，當第二天一早眾人來到田裡時，都傻眼了。只見埋在土裡的棒夾全部被翻了出來，肉餌也不翼而飛了。為了弄清事情的真相，他們又買了肉餌，埋好了棒夾，晚上蹲守在田邊觀察。午夜時分，只見十多隻黃鼠狼跑來。其中幾隻大黃鼠狼迅速到附近抱來土塊，挨個將棒夾砸翻。然後，大小黃鼠狼蜂擁而上，搶食肉餌。

直到這時，董某等人才明白過來，原來黃鼠狼在用自己的智慧與人類周旋。牠們有計劃、有步驟地採取行動，不僅巧妙地躲開了陷阱，還順利地吃到了鮮肉。

這樣看來，黃鼠狼似乎真的具有思維能力。因此，對於黃鼠狼有沒有思維能力，以及其他動物有沒有思維能力這個問題，動物學家們還需進行進一步的研究。

神奇的動物

　　世界上有許多動物會認路，牠們不管離開家有多遠，都不會迷失方向。在中國，人們常說，老馬識途；在外國，人們認為貓的認路本領很強，牠可以記住離家的路線。信鴿在動物中也是認路的高手。如果把信鴿帶到千里之外的地方去放飛，牠能很快、很準確地飛回自己的窩裡。動物認路的本領真的那麼強嗎？

　　曾經有這樣一個報導，一位從紐約遷居到加利福尼亞的獸醫，在倉促之間將一直養在家裡的貓給扔下了。讓他沒想到是，過了許久，這隻貓竟然找到了他。這隻貓幾乎橫穿了大半個美國國土。這件事引起了轟動，人們都十分好奇，想知道牠究竟是怎樣認路的。但在一些人做的實驗中，那些被送出數公里遠的貓卻沒有找到家。

　　與貓相比，我們更了解狗的認路本領。美國的一對夫婦，駕著自己的汽車橫越美國大陸旅行，隨車旅行的還有他們的愛犬。不料在印第安納州的一個小鎮上，他們的愛犬因為與當地的狗群打架而與主人失散了，這對夫婦找了牠好幾天都沒有找到，只好失望而去。不料第

二年春天，這隻狗竟然自己找回家來了。這隻狗是怎麼認路的呢？有人認為是狗的靈敏嗅覺領牠回家的，但是狗的嗅覺再靈敏，也不可能跨越那麼遠的距離吧？而且據這對夫婦的調查得知，他們的愛犬回家的路線和他們旅行的路線並不一致。這又是怎麼回事呢？

更神奇的是一隻荷蘭軍艦上的狗。牠的主人在前往東京時將牠遺忘在紐約港了，這隻狗竟然跳上了另一條開往日本的船，來到東京找到主人。這就更難以解釋了。

 相關連結

貓的年齡的計算

貓的一般壽命為十八歲~二十歲。十歲的貓基本上可認為進入老年期了。這以後，主人需對貓更加悉心照料，才能使貓更長壽。具體貓的年齡所對應的人的年齡階段見下表：

一個半月=四歲　　三個月=六歲　　六個月=十歲
九個月=十三歲　　一年=十五歲　　二年=二十四歲
三年=二十八歲　　四年=三十二歲　五年=三十六歲
六年=四十歲　　七年=四十四歲　　八年=四十八歲
九年=五十二歲　　十年=五十六歲　十一年=六十歲

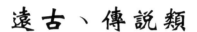

遠古、傳說類

　　在中國古書上，記載著許多麒麟的傳說。古人認為，麒麟含仁懷義，能夠預兆祥瑞，是吉獸。

　　你可知道，麒麟到底是什麼動物呢？牠在現實中是否存在過？

　　在很久很久以前，人類還沒有出現。地球曾被一群龐然大物——恐龍統治了一‧六億年之久。

　　你可知道，恐龍為什麼會突然從地球上神祕消失了呢？牠們的滅絕是什麼原因所致？

麒麟是什麼動物

麒麟與鳳、龜、龍共稱為「四靈」，是中國古書上記載的一種動物。在百獸中，牠的地位僅次於龍，乃毛類動物之王，其雄性稱麒，雌性稱麟。傳說，牠是歲星散開而生成，故主祥瑞，能夠預兆祥瑞，是吉獸。古人認為，麒麟的出現，是顯現太平德政的象徵。同時，民間也有「麒麟送子」的說法，據傳孔子即為麒麟所送。所以，後人常常把麒麟視為古人想像中的一種動物。

然而，也有一些人以史書為據，認為麒麟就是古代曾存在過的一種動物，如《漢書》記載：「中軍從上倖

雍，獲白麟，一角五蹄。」《說苑》記載：「麒麟麋身牛尾，圓頭一角。」《毛詩義疏》則解釋為：「麟，麋身馬足牛尾，黃色，圓蹄，一角，角端有肉。」從這些記載來看，麒麟也確實像是一種實際存在的動物，這種動物身形像鹿，尾巴像牛，足蹄像馬，頭上生有獨角，毛色或黃或白。但現代人很難將古人描述的麒麟與實際存在的某種動物對號。

有人認為麒麟實際就是長頸鹿。古人見到的麒麟有蹄而不踢人，有角而不觸人，性情溫馴，奔走迅疾，這些特點與長頸鹿很像。另外，麒麟的漢語發音與歐美各種語言中長頸鹿的發音很接近，而長頸鹿並不產在中國，古人難得一見，偶有異邦人士帶入中國，便會備感驚奇，就演繹成了帶有神祕色彩的瑞獸麒麟。

也有人駁斥這種觀點，他們認為記載中的麒麟是獨角，長頸鹿卻是兩隻短角，麒麟的毛色與長頸鹿的顏色也不相符。更重要的是，秦漢史書已經大量記載麒麟，而長頸鹿真正引進中國卻是很久以後的事情。

另有人根據神農架地區發現獨角獸的報導推測，麒麟可能就是這種稀少的動物。但目前為止，還沒有人捕獲過獨角獸。

恐龍皮膚之謎

　　我們總是對那些稀奇古怪或令人驚恐害怕的東西感興趣，我們喜歡想像牠們會是什麼，或者可能會是什麼模樣。

　　自從一些化石骨頭被認出是什麼，並出現了「恐龍」這個名字，至今已近一百五十年了。這種滅絕了的動物一直都引發著人們的想像力和興趣。有的小孩子還沒有學會讀書寫字之前，就已經會念這些動物的名字了。而牠們也被畫成連環畫，做成玩具，製成圖章……等等。

　　我們可以從這些圖像中看到牠們皮膚多類似於如今的爬行動物，而體色各異，有的像大象一樣呈淡褐色，有的卻擁有十分鮮豔的顏色。那麼，牠們原本的皮膚真的是這樣的嗎？

　　目前，人們發現的帶有恐龍皮膚的化石非常少，但是從僅有的帶有恐龍皮膚的化石之中發現，恐龍的皮膚

具有鱗狀的表面，和現代的蜥蜴皮相似。

如中國四川省自貢恐龍博物館的科技人員，曾發現一塊劍龍的皮膚化石。這塊化石顯示，劍龍的皮膚上長有六角形的角質鱗，這些鱗片比原來想像的要小得多。

從少數恐龍皮膚的化石來看，大部分恐龍的皮膚與現代爬行動物的皮膚很相似，有著粗糙堅韌的鱗甲或角質突起。人們由此推測得出：白堊紀時期的埃德蒙頓龍長有硬而多褶皺的皮膚，並生有骨鱗；霸王龍的皮膚粗糙，上面長有一排排高出表面的大鱗片；鴨嘴龍的皮膚上佈有多邊形的角質小瘤；鳥腳亞目恐龍長有厚厚的褶皺皮膚，上面有不同大小的突起；一些獸腳類恐龍可能長有羽毛，用來調節體溫。此外，中生代氣溫高，空氣潮濕，光照時間長，所以有人認為恐龍的皮膚很厚，以避免被曬得「中暑」。

然而，恐龍皮膚的顏色，對目前來說還是一個謎。這些恐龍可能會用不同的色彩來幫助牠們躲避敵人，或利用亮色的皮膚、冠飾嚇到對手，或者用來求偶，而只有最大個的恐龍才像大象那樣是淡褐色的皮膚。但恐龍皮膚的顏色具體是怎樣的，還沒有充分的證據證明。

相關連結

中華鳥龍

中華鳥龍是一九九六年被挖掘出來的。這種奇特生物的挖掘地是中國遼西熱河。初始研究中華鳥龍的時候，科學家們將其劃為原始鳥類的一種，並以「中華龍鳥」為名。隨後，經過長時間的科學驗證，古生物學家們證實牠為一種小型的肉食性恐龍，便將牠的名字改為「中華鳥龍」。

恐龍為何消失

恐龍曾經是自然界中一個龐大的佔統治地位的家族，牠們主宰地球達一‧六億年之久，但在六千五百萬年前的白堊紀末期，不知何種原因，恐龍卻突然從陸地上神祕地消失了。恐龍的滅絕是地球生命史上的一大懸案，科學家們對此一直爭論不休，關於恐龍滅絕原因的學說已有一百三十多種。

「小行星撞擊地球假說」是眾多關於恐龍滅絕原因的假說裡比較盛行的一種。這種假說認為，造成恐龍滅絕的罪魁禍首是一顆直徑十公里，質量為一‧二七萬億噸的小行星。當時，這顆小行星猛烈地撞擊在地球上，引起了驚天動地的大爆炸，爆炸產生了鋪天蓋地的灰塵，一時間暗無天日，氣溫驟降。植物無法進行光合作用而普遍枯死，大量植食性和肉食性動物先後被餓死或凍死，恐龍也就隨之滅亡。

還有一種假說認為，白堊紀末期，地球上發生了火

山大爆發，這使許多恐龍死於非命。

「食物中毒和匱乏假說」則認為，在白堊紀後期，植物的更替使植食性恐龍在改換食物的過程中，因無法排除新植物中的毒素，最終導致中毒而大批死亡。同時，也不排除因食物匱乏而引起恐龍種群自發節育並最終因無後而滅絕的可能。

「海洋變遷假說」則認為，從白堊紀中期開始，大陸板塊的分離和漂移速度都明顯加快，最終導致環境、氣候變化，恐龍因此滅絕。

「氣候變化假說」則認為，侏羅紀濕熱的氣候和幾乎常年不變的溫度，為恐龍提供了一個最愜意的生存空間。進入白堊紀以後，地球全球性自然環境變壞，整體氣候變冷，氣候暖濕的區域逐漸縮小。氣溫的強烈變化影響到恐龍生活，並有可能改變其性別比例，從而造成恐龍大規模的滅絕。

此外，關於恐龍滅絕原因的假說還有「地磁倒轉假說」、「蛋殼變厚假說」、「太陽耀斑假說」……等等。我們相信，隨著現代科學技術的發展，人類終會找到這一問題的答案。

 **相關連結**

恐龍的分類

根據恐龍腰帶構造特徵的不同，可以劃分為兩大類：蜥臀目、鳥臀目。

其中，蜥臀目分為蜥腳類和獸腳類。蜥腳類又分為原蜥腳類和蜥腳形類。

而鳥臀目分為五大類：鳥腳類、劍龍類、甲龍類、角龍類和腫頭龍類。

尋訪鳥類的祖先

　　大多數古生物學家相信鳥類是由獸腳類肉食性恐龍進化而成的，儘管已經發現的許多化石都證明了這一觀點，但是有關鳥類的進化過程仍有許多疑問無法解答。

　　現在，人們普遍認為鳥類的祖先是出現於約一點五億年前的侏羅紀晚期的始祖鳥，牠們約在現今德國西南部的熱帶沙漠島嶼上繁衍生息。其大小如烏鴉，還保留了爬行類的許多特徵，如喙部長滿了牙齒；有一條由二十一節尾椎組成的長尾巴；前肢三塊掌骨彼此分離，沒有愈合成腕掌骨；指端有爪；骨骼內部還沒有氣窩，這些特徵和小型肉食性恐龍很像。但另一方面，牠身上覆蓋著羽毛，而且有了初級飛羽、次級飛羽、尾羽以及複羽的分化，這些又是現代鳥類的基本特徵。

　　但是，對於這一公認的觀點，仍然有令人質疑的地方，獸腳類肉食性恐龍屬於爬行動物，而由爬行動物進化到鳥類，必定需要經歷一個非常漫長的過程。可是，

始祖鳥生活在侏羅紀晚期，距今一點五億年。那麼，由始祖鳥進化到種類繁多的現代鳥類，這段時間未免顯得有些短。因此，在始祖鳥之前，極有可能存在某種更加原始的鳥。

就在學者為找不到比始祖鳥更早的鳥類化石來證明自己的推測的時候，美國一位古生物學家在一塊地層中，發現了兩隻古鳥的化石。據考古學家測定，這兩隻古鳥生活的年代，比始祖鳥生活的年代早了整整七千五百萬年。古生物學家們把牠們叫做「原鳥」。原鳥體形跟烏鴉差不多，有細長的前肢、龍骨狀的胸骨，頭骨跟現代鳥類非常相似。但牠的頜的前邊還有四顆牙齒，還有一條長尾巴和一些帶爪的指，這些都是遺留自爬行類動物的特徵。從總體上看，原鳥比始祖鳥更像現在的鳥類。

於是，又有人質疑，既然原鳥比始祖鳥出現得早，為什麼原鳥更像現代鳥類呢？一些古生物學家解釋說，原鳥可能是現代鳥類的直接祖先，是鳥類進化過程中的正源，而始祖鳥也許只是一條分支。對於這種解釋，很多學者不能認同。

鳥類的祖先究竟是原鳥還是始祖鳥？這個問題將會

繼續討論下去。

 **相關連結**

第一塊羽毛化石

發現的最早的一塊羽毛化石，是一根飛羽的化石。一八六〇年這根神奇的羽毛在索倫霍芬附近的採石場被發現，並由法蘭克福森肯堡自然博物館的梅耶在年底發表。這根羽毛長六‧八公分，寬一‧一公分。

四川恐龍公墓之謎

在中國「恐龍之鄉」四川省自貢市，挖掘出來的恐龍化石，其數量之多，門類之豐富，保存之完好和埋藏之集中，在中國乃至世界都極為罕見，具有十分重要的科學價值。

這個恐龍公墓是怎樣形成的？科學家們對其看法不一，目前比較有代表性的意見有三種：

第一種是原地埋藏論。這種意見認為，在一‧六億年前的侏羅紀，大山鋪地區河流縱橫，湖泊廣布，氣候溫和，是恐龍生存繁衍的好場所。由於大批恐龍食用了含砷量很高的植物而中毒暴死，被迅速埋藏在風平浪靜的沙質淺灘中。

但是，這種說法又使人感到證據不足，因為還有許多問題無法證實，如當時大山鋪植物的砷含量的平均背景值是多少？致使恐龍暴死的砷含量又是多少？取樣是否具有代表性？如能將這些質疑闡述清楚，這一理論必

定是很理想而獨特的。

　　第二種是異地埋藏論。這種意見認為，恐龍是在異地死亡之後被水搬運到本區埋藏下來的。主要證據是，本區恐龍化石已發掘採集的一百多個個體，其中完整或較完整的僅有三十多個。

　　如果是原地埋藏，理應大都是完整或較完整的個體，而事實恰好相反。

　　第三種是綜合論。目前大多數人都傾向於這種意見，他們認為，大山鋪恐龍公墓中的恐龍，大部分是被水搬運後埋藏下來的，也有少部分為原地埋藏的，是綜合形成的恐龍公墓。

　　這個地區的恐龍與其他脊椎動物為何如此豐富？如果只有恐龍一個家族在此埋藏，兩種理論都比較容易理解，但除一般恐龍外，這裡還有能飛行的翼龍、水中生活的蛇頸龍、迷齒兩棲類等。

　　恐龍與這些脊椎動物的生活環境和習性有著極大的區別，但牠們為什麼會集中到一起來呢？要解開這個謎，還需要靠科學家們不斷的努力和探索。

相關連結

世界聞名的恐龍公園

美國猶他州國立恐龍公園：目前世界上最大的恐龍公園，位於猶他州東北與科羅拉多州的交界處，面積約三百一十八平方公里。

中國四川自貢恐龍國家地質公園：這裡曾是恐龍的「極樂世界」，也是埋藏恐龍的「大公墓」。

加拿大阿爾伯塔省恐龍公園：這座公園地形十分奇特，充滿了石柱、山峰和重重疊疊的彩色巖層，位於加拿大阿爾伯塔省西南角紅鹿河一帶。

大腳怪之謎

　　大腳怪，又叫「沙斯誇支」，是在美國和加拿大發現但未證實的一種似猿的巨型怪獸。目前，世界各地都有發現大腳怪的傳聞，但真假莫辨，科學家們至今也無法證實是否真有這種怪獸的存在。

　　大腳怪的傳說在北美印第安人中早有流傳，但直到一八一一年才有人發現牠確鑿的足跡。當時，探險家大衛‧湯普遜從加拿大的杰斯普鎮橫越洛磯山脈前往美國的哥倫比亞河河口，途中看到一串人腳形的巨大腳印，每個長三十公分、寬十八公分。由於湯普遜沒有見到這種動物本身，只是看到了大得驚人的腳印，他報導了這一消息後，人們就用「大腳怪」來稱呼這種怪獸。從那以後，世界各地發現大腳怪的傳聞絡繹不絕。

　　一九六七年，美國攝影師羅杰‧帕特森和鮑伯‧吉姆林在加利福尼亞州山谷也捕捉到了這個神祕怪獸的身影，並用攝影機拍下了六十秒的珍貴鏡頭。從影片來

看，該動物身高約兩公尺，肩寬近一公尺，黑色，用兩足屈膝行走，有一對下垂的乳房，體態和行走的姿勢都顯得比大猩猩更像人類。雖然這段錄像短片只有六十秒長，但是無數科學家為之瘋狂，他們多次觀摩這段短片，並親自前往加州進行實地考察，最後分析出大腳怪很可能是古代巨猿的後代。

加利福尼亞巨猿化石是在一九三五年被發現的。當時，荷蘭古生物學家柯尼斯‧瓦爾德在香港中藥店裡發現了一些巨大的猿類牙齒。二十世紀五六十年代，在中國南部、印度和巴基斯坦，又發現了更多的這類巨獸化石。人們推測，巨猿是八百萬年前至五十萬年前生存的一種巨形類人猿，牠的身高大約二點五公尺至三公尺，體重約三百千克。有些動物學家認為，巨猿並沒有完全滅絕，北美的大腳怪可能就是巨猿的某種同類或變種。

但是在二〇〇四年，美國《華盛頓郵報》等多家媒體爆出新聞說，一位專業調查員花了四年時間進行查證，發現所謂珍貴的錄影帶完全是個騙局，大腳怪是帕特森請人裝扮的。

錄影帶究竟是真是假，已經無從考證。不過，加拿大大腳怪研究者約翰‧格林表示，即使這部短片是偽造

的，也不足以否定「大腳怪」在北美洲的存在。

不過至今尚未捕獲大腳怪的實體，這才是許多人對大腳怪是否存在持懷疑態度的關鍵。對此，國際野生動植物保護協會創始人兼美國俄勒岡州大腳怪研究中心主任伯恩指出，發現有大腳怪出沒的地區達數十萬平方公里，大多是深山密林，人煙罕至的地方。伯恩說，過著石器時代生活的塔沙特人就生活在菲律賓叢林裡，直到一九七一年才被發現，所以至今沒能捕獲大腳怪也不足為奇。

最近一百年間，過去許多被懷疑的動物陸續得到發現與證實，如大猩猩、大王烏賊、鴨嘴獸以及科摩多龍等，過去都曾有人懷疑這些動物是否存在，但事實證明了牠們的確存在。雖然大腳怪存在與否，至今也未能得到證實，但誰能斷定關於牠的傳聞，都是在嘩眾取寵呢？

無論如何，研究大腳怪的專家們還在繼續努力，期待有朝一日他們能為我們揭開大腳怪的真實面目。

長白山天池怪獸之謎

　　吉林省東南部的長白山地區，山高林密、富饒秀美。這裡流傳著許多神奇的故事，天池神龍的傳說就是其中之一。

　　傳說在一百多年前，有幾位獵手上山打獵，看到天池中有一個金黃色的怪獸，牠頭大如盆，頂上生角，脖子很長，嘴巴下面有很多鬍鬚。於是獵手們就以為這怪獸是傳說中的神龍。

　　後來，人們又多次在這裡見到奇怪的巨獸，而且所見到的怪獸樣子都不相同。一九八〇年，一位氣象工作

者看到了怪獸。牠的脖子有一公尺多長，身上的毛是褐色的，但脖子下面的一圈毛卻是白色的。一年以後，怪獸再次出現，但這次人們看到的怪獸與上次看到的又不相同，牠身上的毛是黃色的，頭和脖子上的毛是白色的，還拖著一條尾巴。有位記者還拍下了牠唯一的一張照片。據估計，照片上的怪獸露出水面的部分達三公尺長，可以想像牠的身軀會有多麼龐大了。

如此龐大的天池怪獸究竟是什麼動物呢？有人認為，牠也許是遠古時代遺留下來的蛇頸龍。但這種觀點遭到了專家們的否定。長白山天池是由火山口積水後形成的。一七〇二年，這裡的火山還噴發過一次，所以這裡不可能有遠古動物生存。另外，天池中只有一些浮游生物，牠們不可能為如此龐大的動物提供足夠的食物，而且天池周圍的植物也沒有被吃過的痕跡。

也有人認為天池怪獸其實是黑熊，但這種觀點也遭到了一些人的否定，理由是，黑熊並不善於潛水，而且有人在黑熊冬眠的期間也曾見過這隻怪獸。

還有人認為天池怪獸是水獺，但水獺的體型並沒有照片上所顯示的那麼龐大。

就這樣，天池怪獸的身分之謎，一直困擾了人們一

青少年必讀百科探索叢書

百多年，至今仍未解開，只能等待科學家們繼續研究和破解了。

 相關連結

長白十六峰

長白山的長白十六峰分別是：白雲峰、天文峰、玉柱峰、梯雲峰、冠冕峰、鹿鳴峰、華蓋峰、龍門峰、臥虎峰、天豁峰、紫霞峰、錦屏峰、鐵壁峰、觀日峰、孤隼峰、織女峰。

雙潭水怪

　　洪湖市龍口鎮雙潭村因村子的東西兩邊各有一個水潭而得名。村西邊的水潭是一個有著數百年歷史的古潭，潭裡時有不明物出現，所以當地人認為牠是有靈氣的，又稱之為「龍潭」。

　　一九六九年農曆六月初六，幾位農民在離潭約五十公尺的高崗上，發現雙潭中央突然翻起巨浪，有一隻約木船大小的怪物在潭中出現。他們來到潭邊，沒有看到怪物的頭尾，只見怪物的背呈弧形，身上有鱗，鱗上沾著青苔，露出水面十公分至二十公分，約半小時後又潛入水下。

　　一九八二年農曆七月的一個晚上，月光皎潔，有村民在潭中捕魚。突然，在離他們的木船約十公尺遠的地方出現了一個怪物，並激起了巨大的水花。怪物露出水面有一公尺多高，腦袋似蛇頭，身子像蟒。

　　一九九二年五月，有人看見潭中拋起三公尺至四公尺高的水柱，接著，一個像蛤蚧的怪物隨水柱落入水

中。牠頭如籮筐，身下有足，背上有翅，身上有鱗，尾粗而不長。怪物在水中翻騰了幾次後沉入水中。自一九六九年雙潭第一次發現水怪以來，先後有二十多人看見過「水怪」。而從水怪的形狀看，不同目擊者的描述也不盡相同。這些描述，似乎說明雙潭中的水怪不止一種。

一九九二年七月，中國科學院水生研究所組成了研究組，專程來到雙潭進行實地考察。經過科學測量，測得雙潭的水一般水深五十公尺，最深處超過二百公尺。專家們估計，潭底可能有熔巖洞或熔巖斷峽縫之類的地下水道或暗河，這種環境為水怪的生活提供了方便。但水怪到底是什麼動物，卻始終沒有探查清楚。

相關連結

洪湖

洪湖的自然資源豐富，物產富饒。它的境內有大小湖泊一百〇二個，擁有水面四百五十平方公里。廣闊的水域為洪湖全方位開發水產養殖奠定了雄厚的基礎，湖中水生高等底棲動植物量居全國首位，其他底棲動植物量居全國第二位。

喀納斯湖怪

喀納斯湖是中國唯一一個屬於北冰洋水系的內陸湖泊。它位於阿爾泰山原始森林的自然保護區內，長二十五公里，寬二百〇二公里，湖水最深處達一百八十八公尺，其海拔二千三百七十公尺。

喀納斯湖有這樣一個傳說：湖的南邊經常會出現一些怪異現象，平靜的湖水會突然泛起巨浪，波濤翻滾，在陽光的照射下呈現一片紅光。湖邊的牛馬會突然失蹤。

據說，早在二十世紀三〇年代，有人曾在湖中捕到過一條巨魚，僅魚頭就有一口大鍋那樣大。因此人們猜測，喀納斯湖怪是一種巨型魚類。為了弄清真相，有人曾用兩個直徑約二十公分的大鐵鉤，垂下羊腿、活鴨等誘餌，想要捕到巨型魚，但都沒有成功。

一九八五年七月，由新疆大學生物系組成的保護區考察隊，在喀納斯湖中發現的巨型魚，約有十公尺長。

一九八七年七月，新疆環境保護科研所的考察隊，

在喀納斯湖湖面上發現了六十多條大魚。大魚的魚頭約一公尺至一點五公尺長，魚身約十公尺至十五公尺長，估計重二噸至三噸，形成一片巨大的紅色區域，令人驚奇。事後，有人根據魚的形態特徵判斷，巨型魚可能是哲羅鮭。但有人不同意這種觀點，因為普通的哲羅鮭身長只有二公尺多，已捕捉到的哲羅鮭最重也不過五十多千克，很難想像會長到超常的巨大。

因此人們認為，喀納斯湖中的巨型魚很有可能是屬北方山地冷水性淡水魚類。但迄今為止，還沒有捕捉到一條湖中巨型魚，因此，喀納斯湖之謎尚未解開。

相關連結

喀納斯湖的價值

一九九四年，一位聯合國官員來到喀納斯湖考察後說：「喀納斯是當今地球上最後一個沒有被開發利用的景觀資源，開發它的價值，在於重現人類過去那無比美好的棲身地。」保護區內形如彎月的喀納斯湖比新疆著名的博格達天池面積大十二倍以上，是中國境內已知最深的高山湖泊。

長潭水怪之謎

長潭位於神農架地區的新華鄉境內，在石屋頭村和貓兒觀村之間。長潭在原始深山老林的包圍之中，人跡罕至，環境靜謐。

一九八五年七月，石屋頭村的黨支部書記田世海路經長潭。正當他匆匆行走之際，潭水竟無風起浪，水花翻滾，而且越翻越高，逐漸向四面分開，一個特大的癩蛤蟆一樣的腦袋破水而出，那水柱正是從牠的嘴裡向上噴出來的。隨後，又有幾個巨型的癩蛤蟆腦袋從潭水中拱出，並且都一齊向天空噴水柱，周圍灑下一片雨霧。那幾個大怪物的皮膚呈灰白色，頭呈扁圓形，兩隻圓圓的眼睛比飯碗還大，鼻孔猶如兩個大黑洞，噴水的嘴巴張開後足有一‧三公尺。怪獸前肢發達，肢端生有五個粗長的趾頭，趾間有蹼有爪。

在長潭目擊過水怪的不下二十人，據目擊者說，這種水怪多活動於春、夏、秋三個季節，六月至八月活動

最為頻繁，活動時往往上半身浮出水面而下半身則看不見。水怪身上有黃色或紅色的毛，浮出水面時，嘴裡往往噴出數公尺高的水柱。水怪活動後，經常下雨。

綜上所述，神農架長潭水怪之說可能是真的，但這水怪是什麼呢？

由於這種水怪像蟾蜍，當地群眾便稱之為巨蟾。但這怪物顯然不是蟾蜍，因為蟾蜍科的動物身體最長不超過十公分，而怪獸光嘴就有一‧三公尺。

一些科學工作者認為，水怪可能是一種大型的娃娃魚——大鯢。但有人不同意這種說法，認為人們對大鯢並不陌生，不可能把大鯢當成水怪，而且目擊者描繪的水怪形態與大鯢明顯不同。

有科學家推斷，神農架的水怪可能是古代兩棲動物蛤蟆龍，因為人們所描述的水怪形態、習性都類似蛤蟆龍，而且神農架的環境也為古代動物的生存繁衍提供了極為有利的條件。

然而，到目前為止，還沒有人捉到過水怪，水怪究竟是什麼，尚沒有定論。

「湖泊牛」之謎

青海省果洛藏族自治州的年寶玉則山區，是一個風景秀美的地方，分布著一百零八個大小湖泊。這裡水草豐美，自然生態資源豐富。

傳說，在這些大小湖泊中，居住著至高無上的湖神。湖神的模樣像青灰色的牦牛，周身閃著動人的光澤。牠們有時在湖心安詳地游來游去，有時默默地潛入湖底，有時則走上岸來，在岸邊草地上漫步。

雖然是傳說，但當地許多人都相信湖神是存在著的，而且許多人都聲稱親眼見過，並稱之為「湖泊牛」。

據果洛藏族自治州政協副秘書長昂貝多傑回憶，在他十八歲時的一個夏夜，帳篷外的獵犬突然狂吠不止，他與家人一起被驚醒，連忙跑出帳外看個究竟。只見明亮的月光下，布哈湖畔出現二十多頭形如黃牛的動物，身上發出淡青色的光，牠們緩慢走動，不時低頭啃食湖邊的青草。

昂貝多傑一家人十分奇怪，不知是哪裡走失的牛群，於是跑到湖邊想看個仔細。不料，這群像牛的動物見到有人跑來，立刻轉身跳進湖裡，游向湖心，隱沒在一片細碎的水波之中。

　　昂貝多傑還說，他家的畜群中有幾頭牛是湖泊牛與犛牛雜交生下的後代，頭上長著很短的角，身上長著捲曲發光的青色短毛，蹄分兩瓣，壽命短，無繁殖能力。

　　一九八四年七月二十三日上午十一時左右，久治縣人大常委會的幾名幹部路過日桑錯湖，還沒走到湖邊就發現有三頭淡青色的牛在青草地上走動，體型小於犛牛。當他們走近時，三頭被驚動的牛竟跳進湖裡，像魚一樣游到湖心，沉入水下，這讓他們大為吃驚。湖邊的老牧民告訴他們，這就是湖泊牛，經常從湖中上岸。

　　顯然，湖泊牛是一種尚未被認定的動物，主要活動於水中，具有牛的一些基本特徵。但其科學的屬性和生理結構、種群特徵等，目前還是未解之謎。

國家圖書館出版品預行編目資料

探索動物未解之謎 / 余耀東編著. -- 修訂 1 版. --
新北市：黃山國際出版社有限公司, 2023.10
　　　　　　面；　　公分. -- （百科探索；003）
ISBN 978-986-397-144-3（平裝）
1.CST：百科全書　2.CST：青少年讀物

　　　047　　　112009006

百科探索 003
探索動物未解之謎

編　　著	余耀東
印　　刷	百通科技股份有限公司
	電話：02-86926066　傳真：02-86926016
出　　版	黃山國際出版社有限公司
	220 新北市板橋區縣民大道 3 段 93 巷 30 弄 25 號 1 樓
	電話：02-32343788　　傳真：02-22234544
E-mail	pftwsdom@ms7.hinet.net
總 經 銷	貿騰發賣股份有限公司
	新北市 235 中和區立德街 136 號 6 樓
	電話：02-82275988　　傳真：02-82275989
	網址：www.namode.com
版　　次	2023 年 10 月修訂 1 版
特　　價	新台幣 320 元（缺頁或破損的書，請寄回更換）

ISBN： 978-986-397-144-3